L'ASSASSINÉ DE L'INTÉRIEUR

L'ASSASSINÉ DE L'INTÉRIEUR

NOUVELLES À PLUSIEURS VOIX
ET EN PLUSIEURS MORCEAUX

JEAN-JACQUES PELLETIER

ALIRE

Illustration de couverture : BERNARD DUCHESNE
Photographie : ÉRIC PICHÉ

Distributeurs exclusifs :

Canada et États-Unis :
Messageries ADP
2315, rue de la Province
Longueuil (Québec) Canada
J4G 1G4
Téléphone : 450-640-1237
Télécopieur : 450-674-6237

France et autres pays :
Interforum editis
Immeuble Paryseine
3, Allée de la Seine, 94854 Ivry Cedex
Tél. : 33 (0) 4 49 59 11 56/91
Télécopieur : 33 (0) 1 49 59 11 33
Service commande France Métropolitaine
Tél. : 33 (0) 2 38 32 71 00
Télécopieur : 33 (0) 2 38 32 71 28
Service commandes Export-DOM-TOM
Télécopieur : 33 (0) 2 38 32 78 86
Internet : www.interforum.fr
Courriel : cdes-export@interforum.fr

Suisse :
Interforum editis Suisse
Case postale 69 – CH 1701 Fribourg – Suisse
Téléphone : 41 (0) 26 460 80 60
Télécopieur : 41 (0) 26 460 80 68
Internet : www.interforumsuisse.ch
Courriel : office@interforumsuisse.ch
Distributeur : OLS S.A.
ZI. 3, Corminboeuf
Case postale 1061 – CH 1701 Fribourg – Suisse
Commandes :
Tél. : 41 (0) 26 467 53 33
Télécopieur : 41 (0) 26 467 55 66
Internet : www.olf.ch
Courriel : information@olf.ch

Belgique et Luxembourg :
Interforum Benelux S.A.
Fond Jean-Pâques, 6, B-1348 Louvain-La-Neuve
Tél. : 00 32 10 42 03 20
Télécopieur : 00 32 10 41 20 24
Internet : www.interforum.be
Courriel : info@interforum.be

Pour toute information supplémentaire
LES ÉDITIONS ALIRE INC.
C. P. 67, Succ. B, Québec (Qc) Canada G1K 7A1
Tél. : 418-835-4441   Fax : 418-838-4443
Courriel : info@alire.com
Internet : www.alire.com

Les Éditions Alire inc. bénéficient des programmes d'aide à l'édition de la Société de développement des entreprises culturelles du Québec (SODEC), du Conseil des Arts du Canada (CAC) et reconnaissent l'aide financière du gouvernement du Canada par l'entremise du Fonds du Livre du Canada (FLC) pour leurs activités d'édition. Nous remercions également le gouvernement du Canada de son soutien financier pour nos activités de traduction dans le cadre du Programme national de traduction pour l'édition du livre.

Gouvernement du Québec – Programme de crédit d'impôt pour l'édition de livres – Gestion Sodec.

Dépôt légal : 1er trimestre 2011
Bibliothèque nationale du Québec
Bibliothèque nationale du Canada

© **2011** ÉDITIONS ALIRE INC. & JEAN-JACQUES PELLETIER

10   9   8   7   6   5   4   3   2e MILLE

TABLE DES MATIÈRES

Repères bibliographiques

La première version de ce recueil est parue en 1997 chez L'instant même. La présente édition propose une version entièrement révisée qui en constitue la version définitive.

« *It's lonely here, there's no one left to torture.* »
Leonard Cohen
The Future

« … celui qui s'est ankylosé
dans l'attente de son propre début,
de sa propre origine. »
Suzanne Jacob
Les Étoiles tremblent de te perdre

L'Assassiné de l'intérieur

Un homme se promenait. Un homme ordinaire avec un couteau ordinaire planté dans la poitrine. Le couteau était planté jusqu'à la garde et ça n'avait pas l'air de le déranger. Il semblait seulement fatigué.

Très fatigué.

En le croisant par hasard dans la rue, une amie ne put s'empêcher de sursauter. C'était impossible ! Il ne pouvait pas se promener paisiblement, comme si de rien n'était, avec un couteau enfoncé dans le corps !

À quoi jouait-il donc ? Lui habituellement si sérieux…

« C'est un vrai couteau ? »

La voix de la femme trahissait un amusement contenu.

« Bien sûr.

— Tu me fais marcher ! »

Pour toute réponse, l'homme se contenta de hausser les épaules avec lassitude.

La jeune femme le couvrit d'un regard soupçonneux. Puis un sourire apparut sur son visage :

il lui faisait vraiment une blague. Autant jouer le jeu.

« Je peux toucher ? demanda-t-elle, le plus sérieusement qu'elle put.

— Si tu veux, mais… délicatement. »

Elle avança le doigt. Puis, au dernier moment, elle suspendit son geste.

« Ça fait mal ?

— Ça dépend.

— Mais… comment est-ce que tu fais pour marcher ?

— Comme tout le monde. »

L'homme avait l'air sincèrement étonné de la question.

« Avec le couteau, je veux dire… Je n'ai jamais vu personne qui…

— Il faut une première fois à tout. »

L'homme lui avait coupé la parole avec une certaine brusquerie, l'air agacé. Il ajouta néanmoins, sur un ton plus conciliant :

« De toute façon, pour ce que ça change…

— C'est vrai… c'est seulement un couteau. »

L'ironie de la remarque ne suscita chez l'homme qu'un second haussement d'épaules.

Ils continuèrent de marcher en silence. Puis, ne parvenant pas à détacher son esprit du couteau, la jeune femme décida de le relancer.

« Ça fait longtemps que tu as ça ? demanda-t-elle, feignant de prendre la situation totalement au sérieux.

— Le couteau ?… Je suis venu au monde avec.

— Ah…

— C'est parce qu'il a mis du temps à sortir.

— Et… ça ne saigne pas ?

— Plus maintenant. Un peu, au début, mais plus maintenant. »

Une fois encore, de l'agacement avait percé dans la voix fatiguée de l'homme. C'est cependant d'un ton radouci qu'il ajouta :

« Tout le monde est semblable, tu sais. C'est juste que les gens…

Un geste de la main acheva l'explication.

— Quoi, les gens ?

— Ils ne s'en rendent pas compte. »

L'amie ne comprenait pas.

Comme l'homme semblait vouloir persévérer dans son jeu, elle changea de sujet. Ils parlèrent de la pluie, des orages et du beau temps.

Puis l'homme jugea bon de s'écrouler.

Appelé sur les lieux, un médecin constata le décès. La cause était évidente.

« Il n'a presque pas saigné, expliqua-t-il. Mort sur le coup. »

Secouée, l'amie n'osa pas révéler à quiconque qu'elle s'était promenée avec lui pendant près d'une heure…

Et en retournant à son appartement, elle se tâtait les côtes avec inquiétude. Si c'était vrai ? Si nous avions tous, quelque part en nous…

Avant et après le camion

(la boîte)

Tu.
Scellé.
Celé dès l'origine.
Noyé dans un noyau de silence que tes cris ne faisaient que cisailler.
Mettre à vif.

Tu n'es pas vraiment né.
Rejeté, plutôt.
Projeté à l'extérieur.
À l'air. À la lumière.
Libre.
Avec les sons. Les odeurs.
Puis oublié.
Quelque part.
Ailleurs…

Quand tes cris, du fond de ta boîte, ont attiré des mains, tu persévérais depuis des jours.
Déjà.
Avec rien autour…

Une sorte d'oubli.

Une chose en surplus, mouillée, salie, qu'on avait abandonnée sur le trottoir,
    sous la pluie,
    dans une boîte de carton détrempée.

Une chose à peine vivante qui s'acharnait à existe, qui n'espérait même pas devenir humaine…
    seulement survivre.

Le noir.
Le glougloutement de l'eau.
Le froid, la faim…
Le serrement, quelque part, en dedans. Comme si une partie de toi était en train d'éclater par l'intérieur. De mourir.

    (…)

Des voix.
Des cris.
Le sentiment d'être saisi, arraché du sol…
Le vertige de virevolter.

Puis la chaleur, le sentiment d'être collé contre une masse chaude et douillette,
    d'être enrobé de pressions délicates,
    bercé.

Ton corps qui retrouve de vagues souvenirs,
    se détend,
    se laisse avaler par le rythme amorti des balancements et tombe dans le sommeil…
    C'était avant le camion.
    Avant même la crèche.

(…)

Enveloppé, cordé parmi les autres, enveloppés eux aussi, tu repartais.
Déjà.
À peine arrivé, tu repartais.
Avec les cris autour.
Les odeurs…

Tu partais.
Sans pouvoir bouger.
Secoué par les sursauts de la route.
Projeté vers le haut. De gauche à droite. Dans toutes les directions.
Tu repartais vers partout à la fois.
Ailleurs t'attendait…
Un autre ailleurs.

La vie, c'était partir.
Être projeté quelque part, de partout à la fois.

Tu repartais.
Seul.
Dans le camion.
Avec les dix-sept autres bébés.
Seuls eux aussi.
Du même âge.
Sans existence officielle.
Avec leurs gestes empêchés dans leurs enveloppes.
Les bruits.
Les secousses.
Les odeurs…

La course reprenait.
La course à la vie.
Après la lutte pour sortir, celle pour entrer.
Mais tu ne pouvais pas savoir. Tu étais trop jeune.
Pour comprendre, il faut du temps.
Des mots.
Comprendre que sortir de sa mère n'est pas suffisant pour entrer dans le monde.

Pourtant, on t'attendait.
Dans ce nouvel ailleurs, quelque part, on avait creusé un trou.
Pour toi.
Sous des couvertures blanches.
Dans une salle blanche.
Des mains t'y ont enfoui : blanches, elles aussi…
Le voyage s'était arrêté.

(le pays du blanc et des mains)

Des choses dans ta bouche. Qui s'insèrent. Qui s'écoulent en toi.
Le goût du lait.
Du caoutchouc.
Les choses coulantes qui viennent. Et qui partent. Sans explications…

Tes doigts qui t'échappent.
Qui se frappent aux barreaux.
Malgré eux.
Puis tes doigts attachés. Sous les couvertures…
Des mains sont venues les attacher.

Tu durais.

Des jours à guetter les voix.
Jour après jour.
À espérer les choses coulantes.
À attendre les mains.

Des heures et des heures à essayer de com-
prendre.
À deviner ce que disent les voix des mains.
Ce qu'elles vont faire…
Les petites mains sèches à la voix criarde, les
mains fermes et remuantes qui parlent en chansons,
les mains molles et silencieuses…
Toujours des mains qui repartent.

Et tu durais.
Tu attendais.

Des minutes sans fin à épier les formes blanches.
Leurs trous qui te regardent.
À les attendre.
Enserré sous les couvertures.
Blanches.
À essayer de surprendre leur apparition. De
suivre leur mouvement sur les murs.
Blancs.

Déçu, ton regard s'est cloîtré,
abolissant tout ce qui n'avait pas d'odeur, ce
qui était trop loin pour être vérifié,
touché,
ressenti.

Sous tes paupières alourdies,
comme pour filtrer la brûlure de ces visages que
n'habitait aucune voix connue,
tes yeux myopes se sont éparpillés,
refusant de s'apprivoiser l'un l'autre,
de se fixer quelque part,
ensemble
pour ne pas se laisser prendre aux pièges
des images muettes
qui jouaient à s'approcher.

Rigide,
le souffle court agrippé à des fantasmes,
la gorge serrée,
ton corps se dissolvait dans l'indifférence.
Ne restait que la viande efficace,
logique,
inhabitée…

Avec le temps,
ton être tout entier
devint le cimetière crispé de cette absence.

(l'essayer, c'est l'adopter)

Le bruit de leurs voix, de leurs pas sur le ter-
razzo…
Ton sourire s'est éveillé,
sans retenue,
irrésistible.
Tu as ouvert un œil. L'as refermé. Comme les
mains qui viennent. Qui repartent…
Ils ont été séduits.

Ils étaient venus pour voir.

Juste pour voir.

Pour regarder ce qui était disponible…

Ils n'avaient pas l'intention d'acheter tout de suite. Ils voulaient prendre le temps. Être certains de faire le bon choix.

Mais ils ont été conquis…

Ils étaient prêts à t'essayer.

De nouveau, tu repartais, secoué par les sursauts de la route.

Tu partais vers ailleurs.

Encore ailleurs.

Mais plus mollement. Emmailloté.

Tout entouré de petits cris.

Retenus.

Feutrés.

Tout enrobé de gestes enveloppants…

En sursis.

Car tu étais maigre. Maladif. Il faudrait te réparer. Ça pouvait coûter cher.

Ils avaient deux ans.

Deux ans de délai : satisfaction garantie ou argent remis… Ou bien échange.

Quelque part, la vie allait continuer.

Pour un temps.

Et toi aussi.

Pour un temps…

Le Chirurgien saignait parfois

Un matin, en se rasant, un chirurgien se coupa. Distraction ? Maladresse ? Rémanence de brume du sommeil ?... Toujours est-il qu'il se coupa.

Une goutte perla d'abord. Timidement. Puis une autre. Puis une autre encore. Et plusieurs autres. Et beaucoup d'autres. Qui jaillissaient de plus en plus vite.

Machinalement, il appliqua un morceau de papier hygiénique sur la coupure et il alla déjeuner.

Aussitôt que les gouttes faisaient leur apparition, le papier se dépêchait de les boire. Sans faire de bruit. Et, quand le petit carré de papier tombait, alourdi par tout le sang qu'il avait absorbé, le chirurgien le remplaçait. Sans trop y prendre garde.

Il avait l'habitude du sang.

Pourtant, lorsque le quatrième carré de papier tomba dans son assiette, faisant une tache rouge sur le blanc de son œuf, il fut obligé d'admettre que des mesures plus radicales s'imposaient. Il prit une petite serviette et l'appliqua contre sa joue.

Puis il retourna à la cuisine.

Les jours qu'il ne travaillait pas, il aimait beaucoup prendre son temps, le matin. Feuilleter une revue entre deux cafés.

Au bout d'une vingtaine de minutes, la serviette était pleine de sang. Et ça continuait de couler.

Surpris, avec presque des lueurs d'inquiétude dans les yeux, le chirurgien sortit une autre serviette, plus grande celle-là, et se l'attacha autour du cou. Puis il continua de lire le compte rendu des manifestations politiques du mois. C'était un chirurgien très engagé.

Comme il allumait une cigarette, entre deux paragraphes, il sentit une traînée froide lui descendre lentement sur l'épaule: la serviette débordait à son tour.

Il en mit une autre.

À la fin de la journée, toutes les serviettes étaient empilées dans un coin de la salle de bains: ça faisait un bizarre tas rouge, presque menaçant.

Le lendemain, au réveil, il s'aperçut que ses draps, ses couvertures et son matelas étaient devenus complètement rouges.

Affaibli, mais surpris quand même de ne pas se sentir plus mal après avoir perdu tout ce sang, il appela une ambulance.

À l'hôpital, tout fut essayé… Sans succès. Même les colles les plus fortes, qu'on avait utilisées en désespoir de cause, n'arrivaient pas à tenir.

De brillants spécialistes s'enfermèrent avec lui pour l'examiner. Il fut soumis à des traitements brutaux. Scientifiques.

En vain.

Quatre heures plus tard, les portes de la salle d'examen cédaient sous la pression, éclaboussant de rouge tous ceux qui attendaient avec impatience les résultats de l'expertise. On retrouva, noyés, les corps des spécialistes.

Et le sang continuait de couler.

On ferma la porte étanche de la salle où reposait son corps, puis on mura l'entrée comme on le faisait autrefois pour les religieuses récalcitrantes... Le temps de le dire, les murs se mirent à suinter. Les gouttes dessinaient de petites rigoles avant d'aller se perdre dans la flaque rouge qui grossissait sur le plancher.

Et ça dégouttait. Ça dégouttait...

Une âme généreuse, car il en existe, eut alors l'idée de recueillir tout ce sang pour la Croix rouge.

En huit jours, on réussit à soigner tous les blessés du pays. À la fin de la deuxième semaine, les blessés du monde entier ne suffisaient plus à consommer tout le sang.

Comme on manquait de blessés, il fallut déclarer la guerre. Mais le sang s'acharnait à dépasser tous les besoins : un mois après le déclenchement des hostilités, les villes du continent ressemblaient à Venise.

En plus rouge.

Finalement, comme elle n'arrivait pas à produire assez de blessés, on arrêta la guerre.

Certains esprits réalistes avaient compté sur la mer pour mettre un frein à la progression du sang. Mais celle-ci devint rouge à son tour. Et elle se mit à monter.

Les Indiens disaient que la terre recrachait le sang de leurs frères assassinés par les Blancs. Le péril jaune avait cédé la place au péril rouge. Mais, bientôt, il ne resta presque plus d'Indiens. Ni de Blancs.

Partout sur la terre, les gens se réfugiaient sur les plus hautes montagnes.

Un midi, alors que les derniers survivants s'entraidaient pour gravir le dernier sommet de la plus haute montagne, le niveau du sang arrêta brusquement sa progression. Le soleil se mit à luire d'un éclat particulier et la terre fut recouverte d'un épais brouillard rouge.

Quand le brouillard fut dissipé, il n'y avait plus aucune trace de sang. Les survivants redescendirent, bâtirent de nouvelles civilisations.

Avec le temps, on redécouvrit même le terrible secret des rasoirs à lames inoxydables.

Un matin, en se rasant, un chirurgien se coupa. Une goutte jaillit d'abord.

Timidement.

Puis une autre.

Puis une autre encore…

Solitude en stéréo

Lucien parlait peu : il préférait réfléchir. C'est du moins ce que les gens croyaient.

Les yeux abrités derrière l'embroussaillement qui lui servait de sourcils, il méditait.

Parfaitement immobile, il avait sans cesse l'air de guetter, d'être à l'affût. Comme s'il avait entrepris d'explorer tous les recoins de sa conscience. De traquer la plus infime pensée qui pouvait jaillir dans son cerveau.

Dans le pays, on disait de lui qu'il était un sage. On allait le voir. Le consulter. Souvent.

Bien sûr, il ne répondait jamais. Mais sa façon de se taire en imposait. On interprétait ses silences. Sa façon de lever les yeux, parfois, vers son interlocuteur. De regarder à travers lui comme s'il voyait à des milliers de kilomètres.

Tous repartaient satisfaits. Avec l'impression d'avoir été compris. Enfin. D'avoir été sondés jusqu'au plus profond de leur être.

Pour la première fois, quelqu'un avait vu en eux des choses qu'eux-mêmes ne connaissaient pas.

Lucien devint célèbre : on parlait de lui sans le connaître. Sa réputation de sagesse alimentait les conversations. Sa renommée lui amenait des disciples. Des jeunes et des plus vieux. Qui s'assoyaient à ses côtés. En silence. Pendant des semaines. Des mois. Et qui repartaient. Toujours en silence. Sans avoir échangé un seul mot avec le maître.

Ils allaient ensuite ailleurs. S'asseoir à leur tour. En silence.

Bien sûr, ils n'avaient pas tous le charisme du maître. Mais une partie de sa sagesse semblait les habiter. Suffisamment pour qu'ils gagnent leur vie à se taire, eux aussi. Au milieu de leurs propres disciples.

Et on ne sut jamais la vérité. Celle que Lucien vivait depuis si longtemps. Depuis qu'il s'était perdu à l'intérieur de lui-même et qu'il ne pouvait plus remonter à la surface.

On croyait qu'il échappait aux mots ; c'étaient les mots qui lui échappaient.

Le Fossoyeur perpétuel

Jean-Pierre était fossoyeur. Pourtant, ses mains pâles, presque trop propres, n'avaient jamais creusé de fosses et ses clients étaient tous vivants.

Au centre de la ville, un gros édifice lui appartenait. Une espèce de musée avec beaucoup de fenêtres, mais petites et fermées par des rideaux.

À intervalles réguliers, il agrandissait l'édifice, ajoutait de nouveaux étages. Pour lui, il n'y avait pas de morte saison.

Tout le long des allées à peu près identiques du gros édifice, il y avait des salons, rien que des salons, à peu près identiques. Et dans chacun des salons, des urnes. Identiques elles aussi.

À toute heure du jour et de la nuit, l'immense édifice était envahi par les clients, tous anxieux de retrouver l'urne qu'ils y avaient laissée. Et là, confortablement installés dans un fauteuil, ils l'ouvraient et se laissaient gagner par le plaisir.

Il y avait toujours des gens, dans l'immense édifice, pour se pencher avec attendrissement sur les cendres de leurs illusions. Parce que c'était cela, le métier de Jean-Pierre : fossoyeur d'illusions.

Bien sûr, il avait commencé par enterrer les siennes. Plus exactement, il avait essayé de les noyer. Un jeudi, vers la fin de l'après-midi, il avait jeté un ballot de vieux souvenirs dans le fleuve. Des souvenirs remplis à craquer d'anciennes illusions.

Évidemment, il ne revit jamais les souvenirs. Mais les illusions lui étaient revenues avec la première pluie.

Jean-Pierre inventa alors des centaines de procédés, tous plus imaginatifs les uns que les autres. Il était bien résolu à s'en débarrasser. Chaque fois qu'il croyait avoir réussi, elles trouvaient une nouvelle façon de revenir. Et, la plupart du temps, elles revenaient accompagnées.

Changeant de tactique, il décida de les incinérer. Avec tout le cérémonial requis, cela va de soi. Puis – et ce fut son trait de génie – il mit les cendres sous clé. Il les rangea dans un endroit où il pouvait revenir, au besoin, histoire d'assurer un minimum de permanence à sa personnalité.

Par la suite, il commercialisa son idée. Pour en vivre. Ainsi naquit le premier service de soins funéraires pour illusions.

Devant le succès instantané de son entreprise, il fit construire un musée à appartements pour accommoder la clientèle: un entassement de petits salons où chacun pouvait venir, pendant les périodes creuses, retrouver momentanément les recoins les plus intimes de sa personne.

Aujourd'hui, Jean-Pierre a réussi. Dans les médias, on le cite comme exemple d'entrepreneur. Sa prospérité fait envie. Il n'a plus besoin de travailler. Il passe ses journées à arpenter les corridors du musée. Sans relâche, il visite de nouveaux salons, examine de nouvelles urnes. C'est son vice secret : pour échapper à ses illusions, il se promène parmi celles des autres. Les compare, les examine, prenant des notes pour son nouveau projet.

Mais le musée s'agrandit sans arrêt. Jean-Pierre n'a plus le temps de tout voir. Il est toujours en retard. De plus en plus. Chaque soir, il rentre un peu plus fatigué que la veille. Même s'il marche de moins en moins vite. La vieillesse, peut-être. Et, bien sûr, les risques du métier.

On ne devient pas écrivain impunément.

Le Piéton de l'espoir

Il marchait. Il marchait sans plus. Aucune pensée ne venait accélérer le rythme de ses pas.

Aux croisements des rues, il arrêtait mécaniquement, regardait à droite, à gauche, puis, sans attendre, il traversait. À quatre heures du matin, aucun véhicule ne risquait de le renverser.

Son imperméable gris bleu s'éclairait sous chaque lampadaire puis s'éteignait de façon graduelle jusqu'au suivant. Le bruit de ses pas, étouffé par les feuilles mouillées qui couvraient le trottoir, restait sur le sol, étranglé.

Après trente-sept rues, il tourna à gauche. Et il continua de marcher du même pas régulier. Toujours du même pas.

Plus aucun boulevard ne venait croiser son chemin. Pas même une route ou un sentier. Déjà, la dernière maison était loin. Le chemin lui-même avait disparu. Seul le trottoir continuait de sinuer entre les arbres, de plus en plus nombreux.

Au-dessus de sa tête, les branches se rejoignaient, comme pour faire un toit. Le feuillage se faisait plus dense. Quasi opaque. De temps à autre, un coin de ciel perçait, rapidement escamoté.

Plus étrange encore était l'absence de bruit. Pas un son. Pas un cri. Rien ne venait perturber la quiétude végétale de l'endroit. On aurait dit une forêt taillée dans un bloc compact de silence.

Chaque pas le faisait glisser un peu plus loin, l'amenait un peu plus profondément à l'intérieur de ce cocon de végétation silencieuse.

Il avait attendu des années avant d'entreprendre le voyage. Depuis son enfance, en fait. Depuis le jour où on lui avait dit que l'espoir est au bout du chemin.

Et il continuait de marcher. De marcher…

La Bête à bonheur

Toujours ailleurs.
Toujours seul.
Un enfant seul.
Un enfant malgré lui.
Dans une famille malgré elle…
Depuis neuf ans, Réjean jouissait du bonheur simple d'exister.

Au début, il n'avait pas eu le choix. Sa nouvelle mère remplissait toute sa vie.
Il était son accessoire.
Son objet.
Combler son instinct maternel était sa raison d'être.

Deux ou trois fois par semaine, des bipèdes à bras enveloppants venaient, qui lui palpaient le corps avec des pépiements admiratifs et des murmures enrobés d'affection…
Les voisines.

Inondé d'attention, objet de tous les soucis, Réjean eut une enfance de rêve.

Comblée.

Il y avait toujours quelqu'un pour savoir à sa place s'il avait chaud. S'il avait froid. Quelqu'un pour lui mettre de la nourriture dans la bouche. Pour le prendre. Quelqu'un pour savoir ce qui était bon pour lui…

Il y avait toujours quelqu'un.

Sa vie entière lui venait des autres. Eux qui ne lui devaient rien, il leur devait tout. Même l'existence.

Sans eux, il serait mort.

Comme plusieurs de ceux qui étaient restés à la crèche. Qui n'avaient pas eu sa chance… Lui, il avait été choisi.

On lui rappelait souvent sa bonne fortune.

Quand ils l'avaient adopté, la mort le rongeait. Il avait fallu qu'ils lui redonnent un corps.

À force de vitamines. De médicaments.

D'horaires stricts.

Il était leur création. Le produit de leurs soins. Ils lui avaient même donné un nom.

Une existence légale.

Reconnue.

En échange, on ne lui demandait qu'une chose : être heureux. Le paraître.

Comme lorsqu'on avait été le chercher.

C'était facile. Il n'avait qu'à se laisser faire. Qu'à être reconnaissant de tout ce qu'on lui faisait.

Qu'à sourire.

Sa vie était suspendue à ce sourire, à la joie étalée sur son visage – reconnaissance exigée pour les efforts investis dans sa personne – son ultime protection contre le retour à l'expéditeur.

Et si, parfois, on parlait d'aller le reporter d'où il venait, d'aller l'échanger, c'était seulement par jeu,
pour le taquiner,
comme lorsque sa mère jouait à partir,
ou à le laisser dehors,
seul,
dans le noir,
pour ensuite venir le prendre dans ses bras,
sécher ses pleurs
et le consoler.
C'était si bon de sentir toute la reconnaissance qu'il avait d'avoir été sauvé. De redevenir vivant.

Et il grandit.

À mesure qu'il prenait du poids, de l'espace, le ton des voix se faisait plus sec. Plus impatient. L'affection devenait plus autoritaire.
On ne voulait pas qu'il trouve les choses belles.
Enfin, pas trop. Pas au point d'y toucher : ça laisse des traces de doigts…
Et puis, c'est fragile, les choses.
Pour éviter qu'il y touche, on le mettait dans un parc. Attaché. Au cas où il essaierait de sortir.
Ou bien on l'attachait dehors. Après la corde à linge. Ça lui permettait de se promener dans la cour. De prendre l'air. Sans qu'on ait à s'inquiéter de lui.
À s'en occuper.

Pour ne pas qu'il s'ennuie, on lui donnait des jouets. De beaux jouets. Éducatifs. Très dispendieux… On l'aimait beaucoup.

Alors, il ne fallait pas qu'il les brise, les jouets. Il fallait qu'il les garde. Longtemps.

Pour les protéger, on les mettait dans l'armoire. Celle qui ferme à clé. Et on les sortait le dimanche. Uniquement le dimanche. Lorsqu'il y avait de la visite… On lui disait alors de prêter ses jouets au petit garçon de la visite. Ce serait gentil.

Et quand la visite s'en allait, la mère rangeait les jouets. Soigneusement. Heureuse des bonnes dispositions de son fils, qui n'avait touché à rien. Qui avait laissé tous les jouets à l'autre…

Lui, il s'était amusé à le regarder jouer.

Et l'enfant s'endormait, heureux quand même, sachant qu'il pourrait jouer pendant toute la journée… le lendemain.

Bien sûr, il ne pourrait pas sortir de la cour.

Il ne faudrait pas, non plus, qu'il se salisse. Ou que de mauvais amis viennent le voir. Il faudrait qu'il fasse attention de ne pas déchirer ses vêtements. De ne pas dire de gros mots. De ne pas aller jouer dans la forêt…

Mais ça ne l'empêcherait pas de s'amuser toute la journée.

Sa mère le lui disait souvent : un enfant intelligent se trouve toujours quelque chose à faire.

Et lui, il la croyait.

Pour ne pas lui faire de peine.

Il avait très peur de faire de la peine à sa mère. Elle lui parlait souvent du mal qu'elle se donnait pour lui. De tout ce qu'elle endurait... Elle qui avait été tellement malheureuse quand elle était jeune.

Un jour, il avait jeté son arc et ses flèches. Pour lui faire plaisir. Contente, la mère lui avait donné vingt-cinq sous. « Tu peux en faire ce que tu veux », avait-elle dit.

Mais il savait ce que ça voulait dire. « Tu peux faire ce que tu veux, sauf... »

Sauf acheter des bonbons, parce que c'est mauvais pour les dents. Ou de la gomme, parce que c'est mal élevé. Ou des pétards...

Quand elle lui apporta sa tirelire, il y déposa le vingt-cinq sous. La mère fut très contente.

Plus tard, il serait quelqu'un.

Tout le monde verrait comme elle l'avait bien élevé.

Réjean connaissait le bonheur tranquille des enfants raisonnables. À l'exception, bien sûr, de l'heure du coucher. L'heure inévitable où la porte se refermait sur la lumière.

Seul, dans le noir, il était terrifié.

Sur les murs et dans l'air de la chambre, il voyait se dessiner toutes sortes de choses.

Des choses qui prenaient vie. Respiraient. Se tordaient dans l'obscurité... Des choses qui lui faisaient peur.

Au point de le faire pleurer.

Souvent.

Ses parents accouraient aussitôt.

Pour calmer son imagination, ils utilisaient une baguette. Valait mieux qu'il pleure pour quelque chose. Même si ça leur faisait mal de le punir... Ils étaient prêts à tous les sacrifices.

Ils voulaient tellement qu'il devienne quelqu'un...

De toute façon, une fessée, ça fatigue. Ça aide à dormir.

Ils partaient ensuite écouter la télévision. Tranquilles. Pour le reste de la soirée. Le laissant dans sa chambre.

Seul.

Dans le noir.

Heureux, malgré les coups, de les avoir eus avec lui pendant quelques minutes...

Et il attendait.

Fermait les yeux.

Essayant d'oublier les monstres qui le suivaient sous les couvertures.

S'infiltraient sous ses paupières.

Quand les parents allaient au lit, ils jetaient un coup d'œil au passage. Pour voir...

Surpris de le trouver éveillé, ils s'approchaient. Prenaient le temps de replacer les couvertures... Pauvre petit! Il avait le sommeil tellement fragile. Ils avaient dû le réveiller...

Pour s'excuser, ils lui enterraient le visage de baisers affectueux et protecteurs.

Réjean aimait beaucoup la télévision. Les images le ravissaient. Littéralement. Elles le prenaient tout entier pour l'amener à mille endroits merveilleux. Des endroits où même les rêves qui lui faisaient peur n'étaient plus si effrayants.

Il avait l'impression de pouvoir les contrôler.

Un peu…

Tout finissait toujours bien, à la télévision.

Mais sa mère avait souvent des choses à lui dire. Des choses importantes. Qui ne pouvaient pas attendre. Qu'elle ne pouvait répéter.

Alors, il manquait la fin de son émission préférée. Mais sans véritable chagrin… La télévision, elle, pouvait répéter. Elle n'était pas aussi importante qu'une mère. Pas aussi occupée.

Dans quatre ou cinq ans, l'émission repasserait. Avec un peu de chance, sa mère n'aurait rien à lui dire.

Il étudiait ses leçons. Faisait ses devoirs. Mais deux semaines à l'avance.

Parce qu'il s'ennuyait.

C'était pour ça, aussi, qu'il lisait pendant les cours. À cause de l'ennui. De l'institutrice qui redisait toujours la même chose. Faisait répéter les mêmes phrases. Alors que les livres…

Consciencieuse, l'institutrice le mettait en punition.

À genoux.

Devant la classe.

Elle ne voulait pas qu'il prenne de mauvais plis. Qu'il finisse par mal tourner. On ne sait jamais. À force de ne pas écouter ce qu'elle disait…

Quand la cloche sonnait, Réjean courait chez lui, heureux à l'idée de pouvoir enfin jouer tranquille.

Mais l'institutrice avait téléphoné. Elle avait prévenu les parents. Leur fils allait finir pendu s'il continuait comme ça.

Ses parents l'envoyaient alors dans sa chambre.

Tout de suite après le souper.

Sans livres.

Une fois au lit, sa mère venait lui expliquer… En classe, il fallait toujours qu'il écoute ce que disait la mademoiselle. Les livres, c'était pour la maison. Seulement pour la maison. Pour remplacer la mademoiselle.

Dans la vie de Réjean, tout était donc très simple : il y avait les heures d'école, les heures de sommeil, les heures pour manger et les heures pour jouer dehors…

Il y avait aussi les heures de punition, plus nombreuses celles-là.

Presque chaque jour, pour des raisons très différentes, il faisait une heure de retenue à l'école et deux heures de solitude à la maison.

Ses parents avaient lu, quelque part dans le Reader's Digest, que les grands hommes se forment dans la solitude. Alors, pour le punir de façon intelligente, ils lui en procuraient.

Plus tard, il serait quelqu'un.

Plus tard.

Réjean aimait beaucoup ses parents de si bien le punir.

C'était pour son bien. Ils le lui avaient expliqué. Toutes les punitions étaient expliquées.

Jusqu'à ce qu'il ait compris.

Qu'il les ait acceptées.

Qu'il soit reconnaissant d'être si bien puni…

Car il y avait pire que les punitions. Il y avait la menace, presque jamais dite mais toujours réelle, de le retourner d'où il venait.

De l'échanger.

Puis ce fut la fin de l'enfance. Mais personne ne s'en aperçut. Il n'est pas toujours facile de voir la différence entre un enfant de neuf ans et un adolescent de neuf ans.

C'est pourquoi la vie de Réjean se poursuivit sous le régime de l'enfance.

Il ne s'en plaignait pas trop. Après tout, l'enfance est le plus bel âge.

Il y avait plein d'adultes qui le lui répétaient : « Tu es chanceux ! C'est ton plus beau temps ! »… Des adultes tout usés, qui parlaient avec acharnement de la mort, de leurs maladies et de celles des autres.

Réjean continua donc à vivre son rôle d'enfant, entouré de punitions formatrices, de reproches affectueux et d'interdictions préventives.

On l'aimait beaucoup et il n'en souffrait pas trop.

Il souffrait de façon distraite.

Sans s'en apercevoir, presque.

Tout occupé à ses jeux.
À ses livres.
Aux histoires qu'il s'inventait.

Il lisait sans arrêt, se plongeant dans la peau de ses héros avec le soulagement du noyé qui arrive à la surface, qui peut enfin respirer.
Il oubliait tout.
Le temps s'abolissait.
L'espace d'une aventure, il se sentait exister.
Et, chaque fois qu'il devait refermer un livre, il avait l'impression de savoir un peu mieux ce que ce serait, un jour, que de mourir.

Il parlait, aussi.

Pétri d'absence,
tissé d'imaginaire,
il éclatait vers les autres en gentillesses ironiques,
éparpillant ses appels au secours dans les cris amusants et discrets d'un désespoir bien élevé.

Et il écrivait.

Seul avec les mots,
son corps amnésié,
il pourchassait à son insu,
dans les intrigues qu'il traçait sur papier,
les blessures englouties qui habitaient sa chair.

Ses phrases étaient des bulles de papier dans lesquelles il tentait de préserver des parties de lui-même,

de figer des instants,
pour leur octroyer l'identité sommaire d'un emballage approximatif.

Dans le texte, ses morceaux commençaient à prendre forme, à se découper de façon plus nette.
L'écriture l'aidait à se sentir réel.

Les mots étaient ses yeux, ses mains
qu'il lançait dans le vide
avec l'espoir
peut-être
d'y rencontrer quelqu'un
ou, du moins,
de signaler sa présence.

Des larmes et de la poussière

La première fois, il pleura pendant près de trois heures.

Ses parents furent sidérés. Rien ne les avait préparés à la longueur et à la conviction soutenue des larmes de leur enfant; au contraire. À cinq ans, Eugène ne pleurait jamais. Au sens littéral. Ils s'en étaient même inquiétés. Au point de consulter un médecin.

Ce dernier avait renvoyé les parents en leur disant de ne pas s'en faire. De plutôt bénir le ciel de leur chance.

De fait, on n'avait jamais vu enfant aussi agréable, qui dérangeât aussi peu. Lorsqu'il fallait trouver une gardienne, les tantes et les grands-mères étaient d'office sur la liste d'attente, sans compter les voisines et plusieurs de leurs filles. Le problème était de ne mécontenter personne en assurant une rotation équitable, qui tienne compte à la fois de l'âge et des liens de parenté des candidates...

À partir du milieu de l'après-midi, Eugène pleura avec une espèce de rage appliquée. Sans le moindre instant de répit. Ses parents eurent beau lui parler, le cajoler, lui faire les plus attrayantes promesses, rien ne pouvait arrêter la crise de larmes. Et il était incapable de dire ce qu'il avait. À toutes les questions, il se contentait de répondre en faisant non de la tête.

La grand-mère, en visite chez eux, attisa l'inquiétude. « Cet enfant-là est en train de pleurer toutes les larmes de son corps ! Il faut faire quelque chose ! »

Toutefois, pendant qu'ils discutaient des mesures à prendre, les pleurs s'interrompirent d'eux-mêmes. Tombant de fatigue, Eugène avait alors dormi dix-huit heures d'affilée.

Le lendemain, au réveil, il se souvenait vaguement d'avoir pleuré. Et il avait soif.

Les crises se répétèrent tous les deux ou trois mois. Avec le temps, toutefois, elles s'atténuèrent, se firent moins bruyantes : l'âge aidant, Eugène apprit à pleurer de façon silencieuse.

Au début de l'adolescence, il parvint à prévoir ses crises : quelques minutes avant qu'elles se déclenchent, il ressentait de la sécheresse dans le fond de la gorge et une pression sur les tempes qui rayonnait progressivement jusqu'au-dessus de l'oreille. Cela lui donnait le temps de se réfugier dans un lieu sûr – le plus souvent sa chambre – et lui évitait d'avoir à répondre à des questions embarrassantes. Étendu sur son lit, il attendait que ça passe. De cette manière, il était moins épuisé quand la crise était terminée.

Ses accès de larmes faisaient partie de l'ordre des choses. Comme son habitude de boire d'énormes quantités d'eau.

Si d'aventure un membre de la famille s'inquiétait de son absence, la mère répondait simplement : « Il est dans sa chambre ». Personne ne posait de questions. Et tout le monde savait qu'il ne fallait pas en parler en dehors de la famille.

Malgré ses efforts, Eugène était toujours incapable de fournir le moindre indice sur les raisons qui le faisaient pleurer. Inquiets, mais quand même soucieux de protéger l'image de la famille, ses parents lui firent discrètement consulter un psychologue.

Aucune blessure d'enfance, aucun traumatisme particulier ne fut mis au jour par la batterie de tests auxquels il fut soumis. Ses réponses s'alignaient avec une régularité déprimante sur les moyennes généralement observées.

Si le problème n'était pas psychologique, peut-être était-il physique ? Un neurologue fut à son tour consulté. Il certifia que le cerveau d'Eugène était normal. Dans la mesure où un cerveau peut être normal et demeurer humain, précisa le spécialiste, avec un humour qui laissa les parents perplexes.

À dix-neuf ans, Eugène tomba amoureux : elle était belle, il l'aimait, elle l'aimait… et elle voulait vivre avec lui.

Après de longues réticences, il finit par lui avouer qu'il lui arrivait de pleurer. De pleurer beaucoup. Sans savoir pourquoi.

D'abord interloquée, la jeune femme comprit ensuite qu'il fallait entendre ce qu'il disait au pied de la lettre. Elle s'approcha alors tendrement de lui et l'appela, avec une pointe d'humour : « Mon petit lac ». Elle lui promit qu'elle ferait bien attention de ne pas le faire déborder.

Au fond d'elle-même, elle était certaine de pouvoir le guérir. Elle l'aimait tellement : il ne pourrait pas ne pas guérir ! Leur bonheur aurait raison de tout !

Eugène continua pourtant de boire de l'eau. Et de pleurer. De plus en plus.

Un jour, de façon tout à fait accidentelle, il s'aperçut qu'il pouvait exercer une certaine maîtrise sur la durée de ses crises. Avant de s'étendre sur le divan, lorsqu'il avait senti monter les larmes, il avait glissé une cassette dans la chaîne stéréo. Une compilation de pièces classiques pour grand public : l'*Air sur la corde de sol*, l'*Adagio* d'Albinoni…

À son étonnement, la crise avait été plus brève qu'à l'habitude. Après un certain temps, ses larmes s'étaient résorbées, comme si elles avaient été prises en charge par la tristesse de la musique.

Grâce à ce truc, il réussit à contenir ses crises dans des limites inférieures à une heure. Mais elles continuaient quand même de se multiplier. Et il ne parvenait toujours pas à savoir quelle était cette morosité qui s'abattait régulièrement sur lui.

Car c'était une autre de ses découvertes : avec le temps, il avait réalisé que ses larmes s'accompagnaient d'une profonde tristesse. Il n'avait toutefois aucune idée sur le rapport existant entre les deux phénomènes : cette tristesse était-elle la cause de ses larmes ? s'agissait-il au contraire d'un état émotif déclenché mécaniquement par le phénomène physique des pleurs ?

Plus il pleurait, plus il buvait d'eau. Et plus il écoutait de musique triste. Aussi souvent qu'il pouvait. Par mesure préventive. Et il regardait des films tristes. Il enregistrait ceux qui étaient présentés à la télévision et il passait ensuite des heures à les revoir. À les re-revoir.

L'atmosphère de tristesse qu'il tissait autour de lui l'aidait à vivre. À se sentir mieux.

Un jour, sa femme lui déclara en avoir assez. Visiblement, l'amour qu'elle lui portait ne suffisait pas. L'ambiance lugubre dont il s'entourait devenait insupportable. Elle voulait vivre avant qu'il soit trop tard.

Ils décidèrent de se quitter pour un temps. Plus tard, ils verraient. Mais, au fond d'eux-mêmes, c'était déjà tout vu. Ils se donnaient simplement le temps de se faire à l'idée.

Eugène s'adonna alors à diverses techniques de relaxation. Il fréquenta un *ashram* pour apprendre à méditer. Il eut même recours à un guru pour explorer ses vies antérieures. Peut-être pleurait-il un passé depuis longtemps disparu ?

L'entreprise échoua. Le sage oriental ne réussit à éveiller en lui que des images de vastes troupeaux de ruminants sur fond de verts pâturages. Eugène en fut quitte pour se demander si, dans une existence antérieure, il n'avait pas été une vache sacrée.

Ses crises continuèrent de s'intensifier. Chaque jour, il devait s'allonger à plusieurs reprises sur son lit pour laisser couler ses larmes. Le processus se déroulait maintenant sans effort, sans crispation particulière de son visage, sans spasme de son estomac. Son expérience des techniques orientales lui avait appris à se relaxer totalement, à se laisser simplement être, sans offrir de résistance à ce qui lui arrivait.

Psychologiquement, toutefois, ses larmes avaient pour effet de le couper du monde. À cause de leur régularité, de leur caractère inéluctable, elles étaient devenues pour lui la seule chose réelle.

Pour les oublier, il se mit à boire. À boire de plus en plus. Et plus il pleurait, plus il buvait. Et plus il pleurait. Et plus il buvait. Pour compenser, disait-il… Jusqu'au jour où il se retrouva dans une clinique de désintoxication.

Là, il put expliquer la soif qu'il ressentait après avoir pleuré. Cette soif qui le poussait à boire avec toute l'urgence d'une personne en voie de déshydratation. Il raconta qu'il se sentait devenir de sable, à l'intérieur, quand il ne buvait pas.

Les autres lui dirent qu'ils comprenaient. Que c'était la même chose pour eux. Ils lui dirent aussi que c'était une bonne chose d'être capable de pleurer. Qu'il ne fallait pas en avoir honte. « Il faut que ça sorte ». Ça ne pouvait que lui faire du bien… Quant à la soif, il n'y avait pas trente-six solutions. Il fallait qu'il fasse comme tous les autres qui s'étaient guéris : la satisfaire en la déviant vers le Coke, les jus ou le café.

Avec leur soutien, Eugène réussit à se rabattre sur les liquides non alcoolisés. Pourtant, il doutait d'avoir été vraiment compris car, lorsqu'il pleurait, il n'avait pas du tout l'impression que ça lui faisait du bien. Au contraire.

Après chaque crise, il se sentait un peu plus vide. Comme un bain rempli d'eau dont on aurait enlevé le bouchon pendant quelques secondes.

Un peu plus desséché. Il avait l'impression que sa substance même s'écoulait et qu'il ne restait plus de lui que poussière et rocaille. L'image lui était venue en constatant que sa voix muait. Qu'elle acquérait une étrange qualité rocailleuse qui allait, elle aussi, s'accentuant.

Quand son esprit vagabondait, la scène qui se présentait le plus souvent à lui était celle d'une tempête de sable. Pour se guérir, il essaya de fixer son imagination sur des visions d'océan. Mais il ne parvenait pas à oublier que, sous la mer, s'étend le plus grand désert de roc et de gravier de la planète.

Eugène avait toujours résisté à l'idée de parler de son état à un médecin. En son for intérieur, il était convaincu que les larmes finiraient un jour par s'arrêter. Quand il était enfant, une tante le lui avait dit : « Quand tu vas avoir pleuré ce que tu as à pleurer, ça va s'arrêter ! »

Mais ça ne s'arrêtait pas. Sa peau commençait à se dessécher. La musique et la relaxation perdaient de leur efficacité. Il pleurait de plus en plus. Buvait de plus en plus. Et il passait le reste de son temps à dormir, tellement il était épuisé.

Il dut se résoudre à consulter un de ses amis de collège devenu médecin, mais non sans lui avoir fait promettre de garder le secret.

L'ancien condisciple n'avait jamais rien vu de semblable. Il fallait qu'il effectue des recherches plus approfondies sur son cas. Entretemps, il lui prescrivit un programme de soins à domicile. Une infirmière veillerait sur lui, ne serait-ce que pour l'aider à boire et à manger convenablement.

En dépit des soins, sa peau continua à se dessécher. De plus en plus. Elle s'écaillait pour ensuite tomber en fines miettes. Avec un humour un peu morbide, Eugène confia à l'infirmière qu'il était probablement le seul être humain à avoir des pellicules partout sur le corps.

Malgré un moral qui demeurait assez bon, Eugène en vint à pleurer sans arrêt. Même pendant son sommeil, de grosses larmes continuaient de couler sur ses joues creusées par la fatigue. Il fallait changer régulièrement son oreiller pour lui permettre de reposer au sec.

Sa condition ne cessant d'empirer, il devint nécessaire de le maintenir sous perfusion : sans cette précaution, son corps se serait desséché au point de mettre sa vie en péril.

Une nuit, Eugène demeura près de dix heures sans soins : l'infirmière de garde s'était endormie. Au matin, lorsqu'elle souleva le drap qui recouvrait le patient, elle retrouva une forme humaine momifiée qui s'écroula sur elle-même dans un petit nuage de poussière.

L'ami médecin fut appelé à la rescousse. Comme il avait des relations, il réussit à étouffer l'affaire. Le plus simple était de faire passer les restes de poussière pour les cendres du défunt. Il veilla ensuite à ce que ces restes reçoivent une sépulture appropriée.

Sur la tombe, le prêtre prononça les paroles habituelles. « Souviens-toi, ô Homme, que tu es poussière et que tu retourneras à la poussière ! »

L'Homme que le temps grugeait

Léonard avait l'emploi idéal: veilleur de nuit dans un atelier de réparation Maytag. Le travail le plus calme, dans l'endroit le plus paisible sur terre.

Dans la vie, Léonard n'aimait rien comme de prendre son temps. Un peu à la blague, mais avec un fond de sérieux, il se définissait comme un professionnel du temps qui passe. Rien ne semblait pouvoir troubler sa quiétude.

Pourtant…

Cela commença par une démangeaison. Persistante. Qui se déplaçait. Tantôt le dessus d'un doigt. Tantôt l'arrière de l'épaule…

Chaque fois, le scénario était le même. D'abord un sentiment de fine piqûre. Puis, après quelques secondes, une démangeaison qui irradiait à partir de l'endroit atteint.

Au début, les démangeaisons étaient à peine agaçantes. Puis elles s'intensifièrent. Devinrent plus aiguës. Les piqûres se firent plus violentes. Au point de se transformer en brèves sensations de brûlure.

Léonard essaya de se soigner lui-même : bains de soda, traitements à la glaise… Il était naturellement porté sur les médecines douces.

Mais le soulagement était toujours temporaire. De plus en plus temporaire. Et les crises, de plus en plus sérieuses.

Aussitôt qu'il traitait une irritation, elle disparaissait pour refaire surface ailleurs. Toujours ailleurs. À un endroit inattendu. Comme si elle utilisait d'innombrables chemins secrets sous sa peau pour resurgir là où il ne l'attendait pas.

Pourtant, malgré toutes ces démangeaisons, son épiderme était intact. Pas la moindre marque sur sa peau.

Léonard consulta un acupuncteur. Si on combat le feu par le feu, pourquoi pas les piqûres par les piqûres ?

L'effet fut immédiat. Les démangeaisons se manifestèrent uniquement aux endroits où le spécialiste avait piqué ! À tous les endroits !

« Réaction normale », expliqua l'homme aux aiguilles. « Il faut faire sortir les toxines. Ensuite, ça va se calmer. »

Mais ça ne se calmait pas.

Bon gré, mal gré, Léonard dut se résoudre à faire appel à la médecine dure, comme il disait. Il consulta un médecin.

Bien qu'intrigué par l'effet de piqûre-brûlure, et plus encore par l'absence de lésion cutanée, le médecin traita le problème comme une allergie classique : à la cortisone. On verrait bien.

Le médicament eut un effet bénéfique. Les démangeaisons s'atténuèrent. Le veilleur de nuit put retrouver un minimum de sommeil.

Le répit fut toutefois de courte durée. Si l'intensité des démangeaisons diminuait, c'était au prix de leur multiplication. Elles apparaissaient maintenant à plusieurs endroits à la fois. Léonard n'avait plus assez de mains pour se gratter.

Devant l'absence persistante de lésions, le médecin décida de tenter une expérience : il remit à Léonard deux tubes d'onguent, lui demandant de traiter la moitié des démangeaisons avec le premier, l'autre moitié avec le second. Il s'agissait du même médicament, expliqua-t-il, mais fabriqué par deux compagnies différentes. Peut-être l'un des deux serait-il plus efficace…

Léonard revint dès le lendemain. Un seul des deux tubes parvenait à le soulager. Expérience concluante, se dit le médecin. Le placebo n'avait aucun effet. Les problèmes du patient n'étaient pas d'ordre psychologique.

Aux grands maux, les grands remèdes, donc ! Il prescrivit un traitement choc habituellement réservé aux cas les plus sérieux de psoriasis : un bain dans une solution de goudron.

L'effet fut radical. Trois jours plus tard, toutes les démangeaisons avaient disparu.

Léonard put reprendre sa vie où il l'avait laissée.

Le mois suivant, lorsque la sensation de piqûre revint, il ne l'identifia pas tout de suite. Il crut à un simple élancement qui lui traversait la jambe.

Après une dizaine de ces élancements, semblables à de fines crampes, Léonard finit par comprendre que les piqûres étaient de retour. Mais sous la peau, cette fois. À l'intérieur de son corps. Comme si elles se cachaient pour se mettre à l'abri des traitements.

Puis, avec les piqûres, revinrent les démangeaisons. À l'intérieur de la peau, elles aussi... Mais comment se gratter à l'intérieur du corps?... La cortisone par voie orale lui procurait un certain soulagement, mais il fallait sans cesse augmenter la dose.

Lorsqu'on demandait à Léonard de décrire ses symptômes, une image revenait invariablement: celle de fines particules de braise qui lui traversaient le corps. Les démangeaisons n'apparaissaient que par la suite, le long de la trajectoire.

Les limites de la médication intensive furent rapidement atteintes. Avec le stress et le manque de sommeil, l'état de santé du veilleur de nuit se détériora. Les médecins durent se résigner à une solution de dernier recours: déconnecter du cerveau les nerfs responsables du circuit de la douleur.

De nouveau, Léonard put retrouver le sommeil. Mais on le garda quand même sous observation. Et il fut soumis à des tests.

Le scanner fit apparaître une première lueur d'explication.

À l'échelle microscopique, son corps était parcouru en tous sens de fines lignes droites: certaines lui traversaient tout le corps, d'autres s'arrêtaient près de la surface de la peau.

Les médecins firent vérifier l'appareil: il fonctionnait parfaitement. Sceptiques, ils ordonnèrent de nouveaux examens. Ceux-ci confirmèrent la découverte: le corps de Léonard était effectivement traversé de lignes. De plus, il s'agissait de lignes creuses. Personne n'avait jamais rien observé de tel. De minces filaments de vide. Un vide total.

À partir de ce jour, Léonard fut soumis à des tests quotidiens. Des chercheurs émirent l'hypothèse que son corps était victime d'un type inédit de rayonnement particulaire. Ils étaient toutefois incapables de préciser la nature de ce rayonnement – et encore moins d'expliquer pour quelle raison le corps du veilleur de nuit était le seul à y réagir !

Pour certains des physiciens appelés en consultation, il s'agissait possiblement de chronons, les hypothétiques particules de la dimension temps. Selon cette hypothèse, le corps du veilleur aurait fonctionné comme une sorte de filtre. De détecteur de temps.

Pendant que les spécialistes discutaient, Léonard se détériorait. Débranché de sa perception de la douleur, il assistait, impassible, aux ravages du temps. Les galeries microscopiques qui sillonnaient son corps, en s'additionnant et s'entrecroisant, faisaient apparaître des trous. À la surface de la peau, le sang perlait à travers une multitude d'orifices à peine plus gros qu'une pointe d'épingle. Lentement mais de façon inexorable, il se transformait en gruyère.

Si un rayonnement inconnu était en cause, peut-être fallait-il isoler le malade ?... On le transféra dans un édifice protégé par des murs de plomb ; l'installation avait autrefois servi pour des recherches sur la survie en cas de conflit nucléaire.

Le veilleur continua de se désagréger.

On le descendit alors au fond d'une mine désaffectée convertie en centre de recherche sur les neutrinos, ces fines particules capables de traverser à peu près n'importe quelle matière sans laisser de traces.

Rien à faire. Son corps persistait à se désagréger.

Pour calmer son angoisse, on lui administra des doses massives d'anxiolytiques.

C'est ainsi que Léonard mourut, dans une atmosphère d'euphorie, après avoir assisté sans douleur à sa propre dissolution.

Sa dépouille fut conservée au fond de la mine. Pour un temps. Car on continua d'assister, malgré toutes les techniques de préservation employées, à son érosion inexorable. Au bout de quelques jours, le corps s'écroula sous son propre poids. Puis il se tassa. Se tassa. Et il finit par disparaître.

Le veilleur de nuit ne laissait strictement rien derrière lui, sinon un tas de questions.

Que pouvait-il bien sentir passer à travers son corps? Le temps? Des particules de temps, comme le croyaient certains scientifiques?... Et si Léonard avait réagi à ces particules, qui serait le prochain?

Tête de tôle

Sa vie était un long mal de dents. Pas un mois ne se passait sans qu'on ait à lui faire une nouvelle obturation.

Chaque fois, le processus était le même : une dent éclatante de santé noircissait en quelques jours ; il fallait alors procéder d'urgence à la réparation.

Dès l'enfance, il avait eu des problèmes. Sa première dentition, il l'avait perdue de façon prématurée à force de gruger ses jouets. Un mal diffus, à l'intérieur des mâchoires, l'obligeait à se faire sans arrêt les dents sur quelque chose. C'était l'unique façon pour lui de trouver un soulagement…

Aucune analyse ne parvint à identifier la cause de son mal : les gencives paraissaient en excellente santé, l'émail de ses dents éclatait de blancheur et les radiographies ne révélaient aucun problème interne. Pour tout dire, il avait une bouche qui avait de la gueule. On lui suggéra donc la patience… C'était sans doute une question de stress. Ou peut-être un problème de croissance. Ça disparaîtrait avec l'âge.

Lorsque vint le temps de choisir une carrière, il opta tout naturellement pour le droit : en tant qu'avocat, il pourrait se faire les dents sur les autres en toute légalité, sans altérer le vernis de ses bonnes manières. Car la qualité de son éducation était indéniable. En cour, ce serait un atout.

Sa période universitaire fut toutefois difficile : les arcanes de la jurisprudence et les méandres de l'argumentation juridique lui semblaient toujours compliqués, souvent même obscurs. Heureusement pour lui, son intelligence restreinte – sans doute atrophiée par la douleur lancinante qui habitait sa bouche – était compensée par une remarquable prestance physique.

Et, tout au long de ces années, un espoir le soutenait : la perspective de plaider. En toge, à l'abri du code et des lois, il donnerait enfin toute sa mesure. On verrait qui il était.

Bien sûr, il lui arrivait parfois de céder sous la pression. D'exploser. Dans ces moments-là, le vernis craquait subitement et les gens se retrouvaient devant une violence à laquelle rien ne les avait préparés.

Heureusement, ses proches montaient la garde. Sans relâche, ils atténuaient ses frasques, glosant sur ses incartades, expliquant le moindre de ses mouvements d'humeur. Derrière chaque éclat, ils devinaient une blessure secrète. Ses excès étaient à mettre au compte d'une trop grande vulnérabilité, disaient-ils. C'était la preuve d'une sensibilité exquise. À fleur de peau. Comme une dent dont le nerf est à vif. Une sensibilité que le moindre contact avec la réalité brutale du monde extérieur venait meurtrir. Et, s'ils étaient parfois les premières victimes de ces explosions, le prix à payer était bien modeste pour le privilège de faire partie du cénacle, de compter parmi ses amis.

C'est ainsi qu'à force de parades et de grands gestes, entouré par le dévouement de son club d'admirateurs, soutenu dans ses études par une foule « d'assistants », il finit par décrocher un diplôme.

Puis amorcer une carrière.

Commença alors une course incessante à la visibilité. Les projecteurs l'attiraient comme un papillon. Il saisissait avec un instinct sûr les occasions de faire des déclarations-chocs, de se mettre en évidence. Mais, toujours, il avait soin de choisir un point de vue qui ralliait la majorité.

On se mit à parler de lui. À le voir dans les médias. Il était télégénique. Dans un journal, un caricaturiste lui attribua comme devise : « Laissez venir à moi les caméras ! » De méchantes langues reprirent la formule. Mais c'étaient de méchantes langues. Et elles n'étaient pas très nombreuses. Rien, donc, pour compromettre la sérénité d'une carrière qui s'annonçait prometteuse.

Il y avait bien ce curieux tic qui lui faisait sans cesse bouger les mâchoires, comme s'il grinçait des dents, mais il suffisait d'éviter les gros plans.

Son seul véritable problème était ses dents. Il devait sans cesse les faire réparer. Aucun traitement ne parvenait à endiguer les progrès de la carie.

Un jour, à la suite d'un examen, le dentiste le regarda d'un air songeur. Puis il lui demanda s'il avait des objections à passer d'autres radiographies. À l'hôpital… Rien de grave, dit-il. Juste un détail qu'il voulait vérifier. Probablement rien. Mais quand même. Pour en avoir le cœur net…

L'analyse des clichés confirma le détail dont le dentiste avait soupçonné l'existence : un point noir dans l'os de la mâchoire. Des dents, la carie était passée à la mandibule. Il ne souffrait pas seulement de carie dentaire, mais, comme l'expliqua le spécialiste en souriant, d'une forme étonnante de « carie dans' tête ».

Il fallait donc opérer. Colmater au plus vite la petite cavité à la surface de l'os. « Par chance qu'on s'en est aperçu avant que le mal se répande », lui dit le dentiste. Pour l'encourager.

En guise de réponse, l'homme carié lui adressa une poursuite d'un million de dollars. Pour négligence professionnelle. Si l'infection s'était répandue, c'était nécessairement à cause d'une faute de sa part. Puis il se mit en quête d'un chirurgien de renom. Quelqu'un dont la réputation serait garante de son excellence.

Une nouvelle opération fut pratiquée. Elle fut un succès.

Un mois plus tard, cependant, un mal intolérable dans l'ensemble de la mâchoire le ramena à l'hôpital. Toute la mandibule était couverte de taches noires.

Une nouvelle poursuite s'ensuivit. Puis le malade s'adressa à un centre médical américain de renommée mondiale.

Cette fois, c'est tout l'os de la mâchoire qu'on lui proposa de remplacer par une prothèse. À condition qu'il décharge par avance l'hôpital de toute responsabilité… Sa réputation l'avait précédé.

Il accepta.

On profita de l'intervention pour lui extraire toutes les dents et les remplacer par des prothèses. Mieux valait ne courir aucun risque…

Le résultat fut satisfaisant. Son sourire était un peu altéré, mais sa physionomie globale n'avait pas souffert. Après une période de récupération raisonnable, il pourrait reprendre ses activités. Pour le moment, on préférait toutefois le garder sous observation.

Il consacra alors l'essentiel de ses énergies à la préparation de ses plaidoiries. L'hôpital avait donné son accord pour un transfert dans un hôpital canadien. Des sorties ponctuelles seraient possibles lorsque viendrait le temps des audiences.

Cependant, une semaine avant l'ouverture du premier procès, de violents maux de tête le contraignirent à garder le lit : tous les os du crâne étaient maintenant atteints. Il fallait les remplacer avant que l'infection se propage.

Jamais encore, on n'avait remplacé un crâne au complet. En plus des difficultés d'ordre biologique, l'opération posait de délicats problèmes d'ingénierie. Finalement, un alliage à base de titane fut utilisé pour mouler les plaques qui furent ensuite soudées à l'intérieur même de sa tête.

L'intervention dura quatorze heures. Les médecins la qualifièrent à nouveau de succès. C'était une première dans l'histoire médicale. Une seule contrariété vint assombrir la convalescence du patient : souvent, il se plaignait de la force du bruit. « J'ai l'impression d'avoir le cerveau à l'intérieur d'une boîte de tôle », laissa-t-il un jour échapper.

Derrière son dos, le personnel de l'hôpital se mit alors à l'appeler, non sans affection, « tête de tôle ».

Lorsqu'on enleva les dernières bandelettes qui lui recouvraient la tête et qu'il put s'examiner dans un miroir, il constata avec soulagement que l'essentiel était sauf : son apparence n'avait pas souffert de l'opération.

Mais le répit fut de courte durée.

Dans l'année qui suivit, il fallut lui remplacer tous les os du corps par des prothèses. La carie était généralisée. Littéralement, il pourrissait sur pied. Sa structure interne s'effritait, provoquant de multiples infections. Des abcès se déclaraient un peu partout sur le pourtour des os.

Côté médical, les explications proliférèrent à la vitesse de son mal : ostéoporose auto-allergène, variété inconnue de cancer des os, carie osseuse mutante…

On ne parvint évidemment pas à comprendre la cause de ce qui lui arrivait, mais son cas fut l'occasion de percées majeures dans le domaine de l'ingénierie humaine. En un peu plus de dix-sept mois, il se retrouva avec une structure entièrement synthétique.

« Désormais, plus rien ne peut carier », déclara-t-il avec un sourire ambigu, à l'occasion d'une conférence de presse qu'il donna de sa chambre d'hôpital.

Pour l'occasion, il avait demandé qu'on lui apporte sa toge et qu'on l'installe dans un fauteuil, derrière une table de travail. Il annonça qu'il se remettrait sous peu aux poursuites qu'il avait entreprises. Il songeait même à en intenter de nouvelles. Visiblement, sa combativité n'avait rien perdu de son mordant.

Mais il ne put donner suite à ses projets. Il mourut dans la semaine suivante, victime d'une sorte de pourrissement généralisé.

Il n'arrivait plus à se défendre.

Et personne ne réussit à élucider le mystère de cette rage de dents qui l'avait finalement grugé tout entier.

L'Homme qui criait du papier

Frédéric souffrit de laryngite chronique à un âge très précoce : cinq mois et vingt-six jours. Il souffrit aussi de laryngite de façon durable : il a présentement quarante-trois ans et il n'a toujours pas parlé.

Quand je dis parler, il faut comprendre : à cinq mois et vingt-six jours, il se contentait de faire entendre le répertoire de sons qu'émettent généralement les bébés de cet âge.

Ce fut d'ailleurs un arrêt subit et total de ces gargouillements, pleurs et petits cris qui alerta ses parents. Un matin, ils trouvèrent l'enfant dans son lit, secoué de sanglots. Toute sa mimique était celle d'un enfant qui pleure : bouche ouverte, visage contracté, hoquets, soubresauts d'épaules, grosses larmes qui roulaient sur ses joues – rien ne manquait. Sauf qu'on aurait dit un film muet.

Inquiets, les parents consultèrent un pédiatre, lequel consulta divers spécialistes. Le verdict fut unanime : le bébé avait eu une laryngite. Heureusement, elle était en grande partie résorbée ; plus rien ne s'opposait à ce qu'il crie, pleure ou gazouille…

Pourtant, rien n'y fit. Frédéric était devenu l'enfant dont rêvent bien des parents : on ne l'entendait pas.

Ce rêve n'allait cependant pas sans leur causer des inquiétudes. Était-il devenu sourd ? Son intelligence serait-elle affectée ?

L'anxiété des parents s'avéra sans fondement : des tests révélèrent que Frédéric entendait très bien. Son développement mental n'était aucunement compromis. Il se montrait même particulièrement sensible aux multiples inflexions de la voix de ses interlocuteurs.

Vers l'âge de quatre ans, on l'amena en consultation chez une psychiatre réputée : puisque aucune raison physique n'expliquait son mutisme, peut-être avait-il subi un traumatisme psychologique ? Comment savoir, avec les enfants...

La psychanalyste ne réussit pas à découvrir ce qui le rendait muet. Tout ce qu'elle put affirmer, c'est que Frédéric était étrangement attiré par les trous. Si on lui donnait de la pâte à modeler, sa seule activité était d'y faire des trous : avec ses doigts, avec des instruments, avec tout ce qu'il trouvait !

Des trous de toutes les grandeurs.

Ses parents ne virent là rien de bien nouveau : ils connaissaient depuis longtemps cette passion de leur fils. Combien de fois ne l'avaient-ils pas rattrapé, penché sur le bord d'une bouche d'égout laissée ouverte ou d'une fosse quelconque ? Combien de fois ne l'avaient-ils pas vu, complètement fasciné, passer de longs moments à regarder l'eau s'écouler en spirales dans le trou de l'évier ou des toilettes ? Combien de fois ne l'avaient-ils pas surpris à essayer de mettre un doigt dans les prises électriques ?

Cette obsession pour les orifices, comme la baptisa la thérapeute, ne permit cependant pas de comprendre le comportement de Frédéric. Ce dernier conservait dans toutes ses activités, y compris dans sa fabrication obsessive de trous, une tranquillité paisible et joyeuse. Rien qui laisse entrevoir le moindre drame intérieur.

Malgré l'inquiétude des parents, l'acquisition du langage se déroula de façon normale. Enfin, presque normale. L'enfant comprenait tout ce qu'on lui disait. Cependant, plus aucun son ne devait sortir de sa bouche.

À l'école, l'apprentissage de l'écriture se fit avec aisance. Frédéric ne connut aucune difficulté particulière d'adaptation. Il développa d'excellentes qualités d'imitateur. Par ce biais, il réussissait toujours à se faire comprendre de ses camarades. Il acquit même auprès d'eux une certaine renommée, spécialement lorsqu'il se mit à utiliser ses talents pour imiter les professeurs. Enfermé dans son propre silence, il vivait à l'aise dans le bruit des autres.

La seule trace visible de son handicap était son penchant pour les beignes : il les mangeait avec application, de façon presque rituelle. Après en avoir grignoté progressivement le pourtour, à petites bouchées méthodiques, en les tournant jusqu'à ce qu'il ne reste qu'un fragile anneau autour du trou, il avalait le reste d'un seul coup. Alors, chaque fois, une expression d'intense ravissement se peignait sur ses traits.

Au terme de ses études, il fut engagé dans une usine pour travailler à l'entretien ménager. Très rapidement, il se fit une réputation pour la qualité de son nettoyage. Pas un recoin, pas le moindre trou n'échappait à son œil attentif. Il livrait à la saleté une guerre sans merci et il en tirait une satisfaction évidente.

Bien sûr, il continuait à manger des trous de beignes. Et il continuait d'être fasciné par les trous. Il s'inscrivit même à des cours de spéléologie, ce qui lui permit de passer l'essentiel de ses temps libres dans le silence de la terre, à explorer des grottes.

Un jour, alors qu'il s'efforçait de nettoyer une tache particulièrement coriace sur un évier et qu'il jurait silencieusement, la lumière du poêle s'éteignit avec un petit « pouf » assourdi. Une bête coïncidence qui augmenta sa frustration et le fit jurer davantage. Ce fut alors au tour de la vitre de la fenêtre de se briser, juste au-dessus de l'évier. Elle s'étoila à la grandeur, dans un réseau serré de fissures qui partaient toutes d'une petite cavité située dans le bas de la vitre. On aurait dit le point d'impact d'un minuscule projectile.

Frédéric oublia rapidement cette double coïncidence… jusqu'à ce qu'il réalise que de plus en plus d'objets se brisaient autour de lui. Surtout lorsqu'il ouvrait la bouche.

Pendant un certain temps, il s'en tira en s'efforçant de garder la bouche fermée. Mais, parfois, il s'oubliait. Et alors, des objets éclataient, ou se fissuraient. Des gens autour de lui avaient subitement des nausées ou des maux de tête.

Frédéric finit par être terrorisé en permanence par ces espèces de cris vides qui s'échappaient de sa bouche pour tout fracasser. Son attitude se renfrogna. Il était paralysé par la peur d'ouvrir la bouche sans y penser.

Par prudence, il détournait la tête lorsque les gens lui parlaient : pour ne pas les avoir dans sa « ligne de tir » – ce qu'on prit pour une forme de dédain ou de mépris.

De façon naturelle, le vide se fit autour de lui. Vide qu'il encouragea en limitant ses contacts avec l'extérieur au strict nécessaire.

Mais il y avait les choses. Pas plus qu'un autre, Frédéric ne pouvait vivre sans l'assistance d'un certain nombre de choses. Par mesure préventive, il remplaça tout ce qu'il y avait de fragile, dans sa maison, par des objets robustes et massifs.

De cette manière, il bénéficiait chez lui d'une relative sécurité. Mais il devait quand même sortir de temps à autre. Chaque fois, c'était une épreuve. Il revenait les nerfs en boule. Ses visites dans les magasins étaient particulièrement éprouvantes : la plus petite distraction pouvant provoquer une catastrophe.

Ainsi, quand il avait ouvert les lèvres à proximité d'une boutique de porcelaine, tout le contenu de la vitrine avait volé en éclats... Frédéric ne s'était pas attardé sur les lieux pour mesurer l'ampleur des dommages. Maîtrisant à peine son tremblement, il était aussitôt retourné chez lui.

À partir de ce moment, ses sorties devinrent plus rares encore et se firent toujours à des heures de grand achalandage : en cas d'accident, il lui serait plus facile de se perdre dans la foule.

De telles mesures ne pouvaient cependant être que temporaires. Frédéric dut se résigner à consulter d'abord un, puis plusieurs spécialistes.

Très rapidement, on découvrit quel problème l'affectait. Sa bouche émettait du bruit blanc : un mélange d'infrasons et d'ultrasons imperceptibles à l'oreille humaine, mais qui pouvaient altérer la matière de façon saisissante, comme il en avait eu maintes fois la démonstration.

On lui offrit de se joindre à un groupe de recherche qui poursuivait des expériences sur le sujet. En échange de sa collaboration – à titre de matériel expérimental ! – on s'occuperait de lui. Notamment, on lui assurerait un environnement sécuritaire : il pourrait ouvrir la bouche sans avoir à en craindre les conséquences.

Pendant la première semaine, on découvrit que le potentiel destructeur de sa voix muette allait croissant. Si la progression se maintenait, un point critique serait atteint dans un peu moins de quarante jours. Passé ce délai, plus aucun matériau ne serait assez résistant pour supporter l'impact de l'étrange bruit blanc qui s'échappait de sa bouche.

Évidemment, il s'agissait là d'un calcul théorique : dans les faits, on savait bien qu'il se détruirait lui-même avant d'atteindre ce point... Du moins, il était raisonnable de le croire.

Prudents, les scientifiques ne communiquaient plus avec lui qu'à l'abri de murs épais, fabriqués avec les alliages les plus solides. Entre eux, le débat faisait rage : que fallait-il faire de cet encombrant spécimen ?

Certains proposaient de l'isoler à l'intérieur d'une enclave, au milieu du désert du Nevada :

cela permettrait de prolonger les expériences. D'autres objectaient qu'une telle enclave ne résisterait pas longtemps et que, sans abri, il ne tarderait pas à mourir : l'investissement n'était pas rentable. Le neutraliser immédiatement était une solution plus humaine, qui aurait le mérite d'abréger son angoisse.

Frédéric résolut leur dilemme de lui-même. Du jour au lendemain, il cessa complètement d'émettre son étrange bruit blanc.

Le déluge d'examens qui suivit se déroula dans une atmosphère de grande nervosité. Personne ne pouvait dire si le bruit blanc n'allait pas reprendre d'un instant à l'autre.

Contrairement à toutes les appréhensions, aucun drame ne survint. On découvrit cependant que, si le bruit ne franchissait plus les lèvres de Frédéric, il grondait encore sourdement à l'intérieur de sa poitrine. Le médecin qui l'ausculta en eut presque les tympans crevés.

Craignant que le malade ne se soit transformé en une véritable bombe vivante, on décida de renforcer son isolement préventif. On ne communiqua plus avec lui que par écrit ou à l'aide d'un moniteur télé. Ses repas lui furent servis dans une pièce où il entrait uniquement lorsque les préposés à son entretien étaient partis.

Un matin, Frédéric sentit une boule dans la gorge. Il avait de la difficulté à respirer. À l'aide de signes, il parvint à décrire ses symptômes. On se résolut à l'examiner.

Malgré le danger que représentait un contact aussi direct, un jeune savant se porta volontaire.

Le risque en valait la peine : cela pouvait faire avancer sa carrière. Il osa même lui faire ouvrir la bouche pour y jeter un regard.

Après quelques secondes d'examen, il choisit des pincettes aseptisées et les enfonça dans la bouche de Frédéric. Jusqu'au fond de la gorge. Alors, tout doucement, il en retira une petite boulette de matière blanche et ligneuse.

À l'examen, cela s'avéra être du papier mâché.

À partir de ce jour, il fallut prélever de plus en plus souvent ces petites boulettes qui menaçaient de l'étouffer. Des boulettes de plus en plus grosses. Jusqu'au moment où elles se mirent à sortir d'elles-mêmes, comme expulsées par la pression intérieure.

Ne pouvant s'expliquer le phénomène, les scientifiques soupçonnèrent une fraude. On vérifia ce qu'il mangeait et on établit une surveillance télé ininterrompue : peut-être avalait-il du papier en cachette pour ensuite le régurgiter ?

Aucune escroquerie ne fut découverte. Frédéric continua de régurgiter du papier, à la complète mystification des savants qui suivaient son cas.

Autre phénomène inexplicable, les boulettes changeaient progressivement de consistance. Au début, on aurait dit du papier pâteux, longuement mâché. Mais, à mesure que le temps passait, elles devenaient plus sèches, jusqu'à prendre la texture de papier chiffonné légèrement humide.

À l'affût du moindre indice, les chercheurs eurent l'idée de déplier ce papier. Ils y trouvèrent tout un réseau de traces rouges, toujours les mêmes, comme des signes presque effacés.

Avec le temps, les traces devinrent plus nettes, leur couleur plus dense – au point de ressembler à un ensemble de symboles ayant une certaine cohérence. Rien d'assez clair, toutefois, pour constituer un message.

Pendant ce temps, un autre phénomène inquiétait l'entourage de Frédéric : l'état de leur patient périclitait de façon continue. Aucun soin, aucun supplément alimentaire, aucun médicament même ne semblait capable d'enrayer le processus. Et, à mesure que sa santé déclinait, les boulettes de papier acquéraient de la consistance. Ses productions prenaient du corps au même rythme où il perdait le sien.

C'est ainsi que Frédéric s'éteignit, au tout début du mois d'octobre, après avoir été trois jours sans cracher la moindre boulette.

Le médecin qui constata le décès lui en retira une dernière de la gorge.

C'était la plus grosse. Elle était presque sèche. Quand on la déplia, les signes s'étaient encore précisés et constituaient un court texte.

« Tu. Scellé. Celé dès l'origine... »

Nous, les morceaux...

Puis nous, les morceaux, avons tenté de nous recoudre,
   de réduire les fractures,
   morceau par morceau,
   de nous récupérer,
   essayant de nous fondre dans l'unité approximative d'une volonté de naître.

   Et depuis,
   constamment,
   nos yeux s'accrochent aux miroirs,
   s'y attardent malgré eux,
   fascinés,
   comme dans l'attente d'y voir surgir l'image inespérée de notre consistance.

   Dans la rue, notre regard épie les visages, les silhouettes,
   mécaniquement,
   avec le vague espoir d'y découvrir un repère, une trace... quelque chose d'inattendu...
   le même espoir, sans doute, qui, dans une pièce, nous fait relever les yeux,

sans y penser,
et dévisager chaque nouvel arrivant,
comme si,
tout à coup,
quelqu'un allait apporter la passion
à la froide habitude de survie qui nous anime.

Rêvant de redonner vie à ce corps déserté,
nous quêtons des gestes,
prêts à tous les oublis de soi,
à tous les abandons,
puisque, de toute manière, il n'y a presque per-
sonne,
et si peu de chaleur
à défendre,
à préserver,
dans cette masse de protoplasme et de bonnes
manières qui persiste à dire moi,
par habitude probablement,
par nostalgie,
ou sous l'emprise d'un fantasme à jamais irréa-
lisé.

Patiemment, nous posons des visages sur cette
absence qui nous habite,
des visages l'un après l'autre,
toujours muets,
dont les yeux ne disent que des mots,
toujours les mêmes,
que nous n'entendons pas,
tout entiers asservis à traquer le silence qui se
crie à travers eux.

Les amours succèdent aux amours,
les silences aux silences,
et,
dans les draps étriqués du déjà-vu,
fleurissent les images pathétiques de l'habitude.

Inlassables,
nous posons d'autres visages,
toujours d'autres visages,
sur cette absence palpitante qui a tôt fait de
les dissoudre.

Incapables d'insuffler la plus petite étincelle
dans les restes momifiés
du précoce atermoiement qui nous tint lieu de
naissance,
nous quêtons des paroles,
des regards,
auprès des visages qui tapissent notre quotidien,
ces visages qui se murent au moindre rappro-
chement
et finissent par exploser
dans des éclats de voix qu'aucune présence ne
parvient à habiter.

Et nous,
les morceaux,
nous écrivons.
À tour de rôle ou plusieurs à la fois,
nous écrivons.
Entre prose et poésie, voix et silence, nous ins-
crivons l'histoire
de cette déchirure souriante,

de cette dette sans fonds, infinie de reconnais-
sance,
   que fut notre entre-vie.

... *le monde de vous*

Puis vous avez eu la gentillesse d'exister.
Votre sourire est entré dans sa vie...

Et puis vous êtes repartie.
   Car il n'était pas là. Ou si peu. Il flottait un
peu partout autour de lui-même.
   Jamais tout à fait présent dans un geste. Dans
un mot.
   Sauf à l'occasion.
   Lorsque l'intensité se faisait extrême et qu'il
ne parvenait plus à s'oublier...
   Puis il se retirait.

Vous aviez la sensation physique de le sentir
fondre sous vos doigts.
   Il y avait vos gestes qu'il esquivait.
   Délicatement.
   Continuellement.
   Comme si vous pouviez le blesser, qu'il avait
peur du moindre contact.
   Il y avait ses interruptions, au milieu d'une
phrase, lorsqu'il laissait tout à coup un mot en
suspens...
   Fuyant, son regard cessait brusquement de vous
voir, se perdait au-delà de vous.

Vous cessiez d'exister.
Une idée l'avait saisi, une image...
Votre présence était abolie.

Il revenait quelques instants plus tard, comme
pour vérifier que vous n'aviez pas disparu,
que vous n'aviez besoin de rien,
qu'aucune urgence ne requerrait son attention...
Puis il repartait.
Incapable d'être simplement là.
Avec vous.
Sans plus.

Sa présence intermittente déchiquetait vos rap-
prochements en une rafale de gestes avortés.
Vos caresses se figeaient sur sa réserve.
Occasionnellement,
de brefs éclairs filtraient sous sa carapace
– tendresse vite dissipée,
oblitérée dans les mots et leurs jeux,
dans les curiosités,
les gadgets,
où le jetait sa fringale de stimulation.

Tout l'intéressait, vous semblait-il.
Sauf vous.
La plupart du temps.

Pourtant, vous étiez son oxygène. Il aurait fait
n'importe quoi pour votre bonheur.
Disait-il.
Il faisait d'ailleurs n'importe quoi.
Il n'y avait qu'à demander,

qu'à laisser entendre…
Puis, le geste posé, il disparaissait.
Il lui suffisait d'un clignement d'yeux pour se
dissoudre, qu'il ne soit plus là tout à fait,
　　en fuite de quelques secondes dans le passé,
　　dans l'avenir,
　　ou simplement ailleurs,
　　sans cesse aspiré dans un monde en retrait,
　　il installait dans votre amour
　　cette distance floue qui le coupait de lui-même.

　　Jamais vraiment absent,
　　toujours un peu décalé,
　　comme si sa présence instable n'arrivait pas à
s'enraciner dans son propre corps,
　　il papillonnait autour de vos instants,
　　essayant de réaliser dans vos gestes
　　le même équilibre fragile qu'il maintenait entre
ses morceaux…
　　assez près pour en sentir la chaleur,
　　assez loin pour ne pas être brûlé par leur souf-
france.

　　Vous étiez pour lui l'essentiel point de fuite,
　　l'attracteur étrange,
　　le centre absent à partir duquel il organisait
sa vie.

　　Sitôt dissipé le besoin que vous aviez de lui,
votre présence lui devenait inutile, sentiez-vous,
　　comme si vous ne pouviez lui apporter que des
prétextes, que des occasions de faire des choses
pour vous,
　　et de s'oublier lui-même,

avec le sourire satisfait de celui qui règle de
vieilles dettes,
  décharge ses épaules d'un trop lourd fardeau.

Impitoyablement serein,
  il semblait suffire à son propre bonheur.
  Vous n'étiez que le cœur introuvable où se rattachaient les fils entremêlés de ses fuites…
  Vous n'y pouviez rien.

Et maintenant, pour échapper à ce silence dis-
trait qui menace de l'engloutir,
  il s'invente des apparences,
  des masques tissés de mots
  répétés un à un,
  vérifiés,
  laborieusement,
  avec minutie.

Enfermant dans des phrases les instants qui
passent sans l'atteindre,
  il reconstruit sa vie à mesure,
  et subsiste entre les pages
  des accoutrements littéraires qui lui tiennent
lieu d'intérieur.

Vous n'y pouvez toujours rien.

Dans le texte après coup
  d'une biographie toujours transposée,
  jamais vécue,
  son imagination s'ingénie à rattraper le vide
de ses gestes
  qui ne touchent personne.

Vous n'y pourrez jamais rien…
Pas tant qu'il sera ce qu'il a toujours été.
Tu.
Occulté.
Séquestré dans ce texte impossible à écrire, tissé
de ratures, où s'est réfugié son acharnement à vivre,
à s'évader de ce pronom silencieux,
enseveli,
dans lequel est enfermée sa naissance…

Tu.
Ou l'impossible Je.

L'Enfant qui collait

Sa bouche lui déchirait le visage en deux parties inégales.

Au-dessus, les yeux, agrandis par la douleur, accaparaient toute l'attention. Des larmes en descendaient à grosses gouttes pour se noyer dans le rouge des lèvres.

En dessous, des traînées de sang partaient des deux coins de la bouche et du milieu des lèvres pour descendre sur le menton.

Les traînées rouges étaient plus importantes que les pleurs. Comme si on lui avait arraché la peau des lèvres. Qu'on les avait pelées avec un couteau.

Lorsqu'il s'approcha de sa mère en pleurant à voix basse, elle avait le dos tourné. « Décolle ! », dit-elle comme elle le faisait des dizaines de fois par jour.

S'il existait un enfant Velcro, c'était bien celui-là. Toujours accroché à elle. Ses robes étaient continuellement chiffonnées, salies de traces de doigts.

En fait, Noël n'avait jamais cessé de coller. Déjà, au moment de naître, il n'arrivait pas à sortir. Il avait fallu l'extraire. Avec deux semaines de retard. Par césarienne.

Les premières années, sa mère s'était dit que c'était normal. Qu'en grandissant, il deviendrait plus autonome. Plus indépendant… Mais il avait maintenant cinq ans. Ça devenait inquiétant. Elle avait peur que le jeune Noël demeure un fils à sa maman pour le reste de sa vie.

C'est pourquoi elle avait entrepris de le sortir de ses jupes. Chaque fois qu'il approchait, elle l'envoyait jouer ailleurs. Souvent avec une impatience croissante à mesure que la journée avançait.

Comme il continuait de s'agripper, elle se retourna.

« Combien de fois ?… » explosa-t-elle.

C'est alors qu'elle vit les taches sur sa robe neuve. De grosses taches rouges.

Elle ne termina pas sa phrase. Au moment où se cristallisait dans son esprit l'idée que c'était du sang, elle aperçut le visage de l'enfant…

Quelques heures plus tard, en sortant de l'hôpital, elle avait réussi à reconstituer les événements. Noël s'était collé les lèvres sur la voie ferrée, il lui avait donné un baiser à pleine bouche.

La semaine précédente, on lui avait expliqué que les trains peuvent vous amener visiter des endroits inconnus. Vous faire découvrir toutes sortes de choses passionnantes.

Noël avait été ébloui. Pour lui, c'était la promesse de mille merveilles. Quand il serait grand, le train l'emmènerait partout. Son baiser avait été un acte d'amour pour cette machine extraordinaire qui promettait de lui révéler des mondes fabuleux.

Puis il avait entendu la sirène du train. Il avait essayé de se relever. Mais il était pris. Et le train arrivait.

Le cœur battant, il avait finalement trouvé la force de s'arracher d'un coup, laissant sur le rail toute la peau des lèvres et du bout de la langue.

La convalescence se passa relativement bien. Sauf que ses lèvres ne furent plus jamais les mêmes. Au terme de la guérison, les muqueuses avaient cédé la place à un tissu cicatriciel un peu moins doux et moins sensible.

Esthétiquement, l'effet n'était pas aussi catastrophique qu'on aurait pu le craindre. On s'y habituait assez vite. Mais lui ne sembla pas s'y faire. Autant il était colleux auparavant, autant il devint distant. Il cessa complètement d'embrasser ses parents.

Ceux-ci s'habituèrent assez vite à cette retenue. Sa mère lui effleurait tout au plus le front du bout des lèvres. Quant à son père, il lui passait à l'occasion la main dans les cheveux.

Cette distance, elle s'inséra également entre lui et les choses. Avant de toucher un objet, il avait toujours un moment d'hésitation. Comme s'il craignait de rester pris.

Il développa rapidement une réputation de maladresse. Entre ses doigts, les objets s'échappaient sans cesse, trouvant mille façons de se briser. Ce qui ajoutait à son inconfort avec les choses. À sa réticence à les toucher.

Le seul moment où il se sentait à l'aise, c'était devant le grand cahier où il faisait interminablement des collages. Il mettait un soin minutieux à juxtaposer des bouts d'images de toutes sortes pour créer d'imposantes mosaïques. Mais il se dégageait de ses « œuvres » une atmosphère à la fois intense et inquiétante qui laissait ses parents perplexes. Où cela allait-il le conduire ?

À l'âge de vingt ans, il avait développé un mode de vie qui réduisait au minimum son inconfort. Tout d'abord, il avait découvert qu'en touchant les choses avec des gants, il était plus à l'aise. Plus sûr de lui. Ses gestes étaient moins hésitants… et moins générateurs de catastrophes.

Avec les gens, il développa une attitude analogue. Il les approchait « avec des gants », pour ainsi dire. Sa politesse était constante et son humour toujours dirigé sur lui-même, comme pour éviter de trop toucher aux autres.

Évidemment, il n'embrassait jamais personne. Cela lui était facile à cause de l'apparence subtilement inquiétante de ses lèvres. Non pas qu'elles soient devenues monstrueuses, mais une décoloration persistante ajoutait au malaise que suscitait leur texture celluloïd.

Ces étranges cicatrices avaient d'ailleurs intrigué les médecins. Sans être de véritables chéloïdes, elles se caractérisaient par une perte importante de sensibilité. « Il cicatrise mal », avait finalement dit le spécialiste à ses parents. Comme si ça expliquait tout. Que leur fils était une anomalie de la nature. Que c'étaient des choses qui arrivaient parfois. Sans raison.

Il y avait aussi ce zézaiement qui venait de sa cicatrice sur le bout de la langue. C'était en bonne partie pour cette raison que Noël écoutait aussi bien. Qu'il parlait aussi peu.

Et puis, il y avait sa façon de toucher les gens. Les rares fois où cela se produisait, il leur faisait presque toujours mal à son insu. « Attention à tes ongles ! »... « Tu m'as égratigné ! »... Il prenait pourtant un soin méticuleux de ses ongles, les gardant courts, les arrondissant autant qu'il le pouvait.

Lorsque les gens se plaignaient qu'il leur avait fait mal, il restait médusé, ayant eu à peine l'impression de les avoir effleurés – ce qui augmentait d'autant sa réserve, sa retenue.

Le seul être avec qui il pouvait satisfaire un besoin minimum de présence physique, c'était son chat. Il le flattait une demi-heure tous les jours. Par plaisir. Mais aussi pour le brosser. À plusieurs reprises, pendant qu'il le flattait, il ramassait les poils qui lui restaient collés dans les mains.

Malgré son handicap, Noël suscitait un intérêt certain chez les femmes. Sa façon d'écouter, la distance qu'il maintenait étaient d'autant plus attirantes que perçaient, sous cette froideur, une vie émotive intense, un profond besoin de communication.

La première fois qu'il se permit un contact physique avec une femme, ils se tinrent par la main pendant huit heures. C'est à l'hôpital qu'on réussit à les libérer. Sa peau avait fusionné avec celle de son amie. Il fallut procéder à une opération pour séparer les deux paumes. Comme on le fait pour séparer des siamois.

L'explication officielle fut qu'il avait mis de la *crazy glue* dans sa main. Un geste romantique…

Mais il savait qu'il n'en était rien. C'était sa peau à lui qui se mêlait à celle des autres. Et qui parfois se déchirait. Parfois, déchirait la leur… Il pensa à toutes ces éraflures dont il n'arrivait jamais à s'expliquer l'origine, à toutes les fois où il avait apparemment égratigné les autres de façon involontaire, comme il avait fini lui-même par le croire pendant un certain temps.

À partir de ce jour, il porta continuellement des gants de coton. Une maladie de peau, disait-il. Il avait une peau ultrasensible. Qui se brisait au moindre contact un peu rude. Une forme d'allergie au contact. Tous ses vêtements étaient en coton. C'était une des seules matières que son épiderme semblait tolérer.

La distance qu'il maintenait avec les gens s'accrut. Non pas qu'il les fuyait, mais un mur infranchissable semblait l'envelopper. Tout son être décourageait le contact.

Des mois passèrent.

Un jour, il se rendit compte qu'il ne pouvait plus toucher aux animaux : il avait de plus en plus de difficulté à se débarrasser du poil qui lui restait collé dans les mains.

Puis ce fut au tour des plantes.

En fin de compte, toutes les matières naturelles semblaient coller à lui. Et quand il essayait de les enlever, il s'arrachait des morceaux de peau.

Ses meubles, ses vêtements furent tous remplacés par des équivalents en matériaux synthétiques. Les surfaces de métal furent recouvertes de Saran

Wrap. Seuls les plastiques et autres polymères ne présentaient aucun risque pour lui.

Après les enfants bulles, l'homme plastique. Son cas différait pourtant du leur. Sa santé à lui était exceptionnelle. Les virus et les bactéries ne lui créaient aucun problème. Au contraire. Son organisme les assimilait sans coup férir. Comme s'il s'en nourrissait. Ses difficultés se situaient uniquement au plan macroscopique : il n'arrivait plus à se séparer de ce qu'il touchait sans y laisser sa peau.

Noël s'organisa une existence de reclus. Ses repas lui étaient livrés à domicile. Des domestiques s'occupaient de l'entretien de la maison.

Pour gagner sa vie, il devint une sorte de psychologue.

À l'abri d'une cloison translucide, il écoutait les gens. Et, malgré le fait que personne ne le vit jamais, il développa rapidement la réputation d'un thérapeute efficace.

Pourtant, il ne disait presque rien. Des banalités. Mais il écoutait. Interrogés, les patients parlèrent tous de la qualité de son écoute. Comme si son oreille les avait touchés. Littéralement.

Au cours des années qui suivirent, son seul contact avec la nature se passa sur le toit-terrasse de sa maison, qu'il avait fait bâtir à mi-hauteur d'une montagne.

La nuit, il se dévêtait pour exposer son corps au vent. Ou à la pluie, quand il en avait la chance.

Une fois, il avait essayé de faire la même chose en plein jour. Pour prendre un bain de soleil. En quelques minutes, son corps était devenu rouge vif. Il avait dû rentrer en catastrophe et s'enduire de crème pour soulager la sensation de brûlure.

Peu de temps après cette mésaventure, il ferma son cabinet de consultation. Dans un bref communiqué, il disait avoir de plus en plus de difficulté à se séparer de ses patients lorsque cela devenait nécessaire. De plus en plus de difficulté à s'arracher à leur voix.

Et il continua de vivre complètement seul, entouré de légendes, de rumeurs.

Un jour, il annonça qu'il cédait ses biens à une œuvre de charité. Inutile de le chercher, il partait vivre dans la nature.

À la suite de ce message, des recherches furent entreprises pour le retrouver. On fouilla les lieux naturels les plus reculés de la planète…

Personne ne songea à explorer le parc de sa propriété.

On y aurait trouvé, parmi les arbres centenaires qui y poussaient, un spécimen particulièrement âgé dont les branches, touchant celles des autres, semblaient communiquer de proche en proche avec l'ensemble de la forêt. Sur son tronc, on pouvait apercevoir une immense cicatrice dont la forme rappelait vaguement une silhouette humaine.

Sous la peau, l'absence

L'égratignure était insignifiante : juste un coup de griffe donné par un chat pressé de partir. Sauf qu'elle avait été suivie d'un bruit de fuite d'air et d'une brève sensation de brûlure. Sous la peau, il y avait une petite cavité parfaitement ronde.

Quelques secondes plus tard, ne sentant plus de douleur, Augustin avait déjà oublié l'incident pour retourner à son activité préférée : la contemplation de son appartement.

Il habitait un immense logement de onze pièces, dont trois étaient meublées : la chambre, le bureau et la cuisine. Les autres étaient vides et c'était dans celles-là qu'il passait la plus grande partie de son temps.

Bien sûr, il aurait pu se débrouiller pour remplir ce vide. Il aurait pu garnir les chambres et les salons avec un entassement minimal d'objets appropriés. Mais il n'avait jamais pu s'y résoudre. Aux rares visiteurs qui entraient chez lui, il présentait ces pièces désertes comme sa collection d'espaces. « La peinture sur les murs et les tapis, les quelques tableaux accrochés aux murs ont pour seule fonction de structurer l'espace, disait-il. De souligner ses qualités particulières. »

Augustin aimait beaucoup l'espace. Beaucoup plus que les objets. Depuis son enfance, il existait une espèce d'incompatibilité entre lui et les objets : une grande quantité de ceux qu'il touchait trouvaient le moyen de se briser. D'autres disparaissaient purement et simplement. Et ceux qu'il ne parvenait pas à perdre ou à briser, il les donnait : il lui semblait toujours qu'un objet serait plus utile, ou simplement plus à sa place, chez quelqu'un d'autre que lui.

À la longue, il avait développé envers les choses une sorte de douce paranoïa. Sans aller jusqu'à professer l'existence d'une conspiration généralisée des objets contre les êtres humains, il ne pouvait s'empêcher de trouver une certaine pertinence aux lois de Murphy : de toutes les manières, les objets trouvaient effectivement le moyen de compliquer la vie des gens. De leur faire défaut au moment le plus critique.

C'était dans la nature des choses.

Pour Augustin, cette résistance des objets se manifestait principalement par l'absence : de toutes les façons, les objets le fuyaient. De là venait sans doute sa passion pour l'espace. L'espace ne peut pas fuir. Au contraire, il naît de l'absence des choses. Il est ce qui reste quand il ne reste plus rien.

Très jeune déjà, il rêvait pendant des heures en observant la Voie lactée, imaginant d'interminables voyages intergalactiques. Plus vieux, il s'était mis en quête des sites naturels où il pouvait le mieux ressentir la sensation de plénitude que lui procuraient les espaces ouverts : les plaines à perte de vue, la mer, les sommets les plus élevés… Pourtant il avait le vertige. Mais, autant le vide le terrifiait, autant il en ressentait la fascination.

Au cours d'un voyage, il avait rencontré Moon Buffalo, un Amérindien qui lui avait servi de guide et avec qui il avait développé une relation suivie. Il avait même participé à quelques cérémonies conduites par son ami. Car Moon Buffalo était *medecine man*. Une sorte de chamane qui vivait dans le nord de l'Alberta.

Dans ces régions où la médecine occidentale est peu accessible, les gens faisaient appel à lui pour guérir toutes sortes de maux.

Un soir, au cours d'une longue conversation, Augustin s'était ouvert à son ami du sentiment de vide qui l'habitait. Il n'était pas malheureux, mais il n'était pas heureux non plus. Il flottait. Ses relations avec les gens étaient sur le modèle de celles qu'il entretenait avec les objets : faites d'espace, de repères minimums et de longs silences – le tout enrobé de conversations fonctionnelles qui tenaient lieu de décor au reste. De façon plus ou moins consciente, il cultivait l'espace entre lui et les gens.

Au vide de son espace extérieur correspondait une sorte de vide affectif intérieur. Et même un vide financier. Car l'argent aussi le fuyait. Il semblait incapable de vivre sans un niveau minimum de dettes.

Moon Buffalo avait écouté avec gravité. Il était ensuite demeuré silencieux un long moment, comme si son regard passait à travers Augustin pour se fixer sur quelque chose de très lointain. Finalement, il lui avait demandé d'assister à une cérémonie prévue pour le lendemain.

Au cours de la cérémonie, l'Indien avait touché plusieurs endroits de son corps avec un vieux hochet. Il lui avait dit que le vide de sa vie allait bientôt cristalliser.

C'est à ces événements qu'Augustin songea, trois jours après s'être égratigné, quand il sentit une petite bosse douloureuse sur son avant-bras: elle était située à un endroit qu'avait touché le hochet du chamane.

Il écarta cette pensée: il n'était pas la première personne à être affligée d'un bouton particulièrement coriace.

Une semaine plus tard, la petite bosse continuait à le faire souffrir. Une sensation de brûlure s'y était localisée, que le moindre contact exacerbait. Ce qu'il avait pris pour un simple bouton était sans doute un kyste: il se résigna à consulter un médecin. Ce dernier lui prescrivit un onguent en lui disant que, si ça ne guérissait pas, il faudrait opérer.

Au bout de dix jours, l'onguent n'avait toujours pas eu d'effet et plusieurs nouvelles bosses étaient apparues: encore à des endroits qu'avait touchés le chamane.

Augustin décida qu'il était temps d'agir. Non seulement les bosses le faisaient-elles souffrir, mais il avait de plus en plus souvent l'impression d'avoir le bras mort, comme s'il avait longuement porté un poids.

Il nettoya un vieux rasoir avec de l'alcool et, lorsque la peau s'écarta sous la lame, une petite boule translucide apparut. Il fut assez facile de l'extraire. Elle tomba dans le récipient avec un bruit mat, comme si elle était très lourde. Pourtant, on la voyait à peine. On aurait dit une bulle de… rien.

À l'instant où il approchait son œil pour l'observer de plus près, elle se consuma dans un nuage de fumée, dissolvant avec elle une partie du plat et creusant un trou dans la surface de la table.

Sidéré, Augustin jugea prudent de ne pas procéder à d'autres extractions avant d'en savoir davantage.

Dans les jours qui suivirent, il s'efforça toutefois, malgré la douleur, de palper ses protubérances. Au centre de chacune, il y avait une forme sphérique, parfaitement repérable, qui offrait une résistance souple au toucher, comme une bille de matière caoutchouteuse.

Finalement, le problème était simple : son corps sécrétait des boules de « rien » particulièrement lourdes et hautement corrosives, ce qui pouvait provoquer à la fois la sensation de brûlure et l'impression de lourdeur qui s'était développée dans son bras – sauf que rien n'expliquait l'existence de ces boules de vide.

Soucieux de ne pas provoquer leur prolifération par une intervention précipitée, il opta pour une période d'observation. Peut-être le phénomène se résorberait-il de lui-même ?…

Trois jours plus tard, la situation ne s'était pas améliorée : les bosses avaient grossi et plusieurs autres commençaient à surgir. Il décida de refaire le voyage en Alberta : force lui était d'admettre la coïncidence pour le moins inquiétante entre la localisation de chacune des protubérances et les endroits touchés par le chamane avec son hochet.

Quand il arriva à la cabane, Moon Buffalo l'attendait sur le seuil de la porte. Sans un mot, il lui fit signe de le suivre.

Ils marchèrent pendant des heures dans le décor sauvage du Nord canadien. À plusieurs reprises, Augustin essaya d'expliquer ce qui l'amenait, mais l'autre lui fit chaque fois signe de se taire. Il savait ce qui l'amenait, finit-il par dire, et il était capital que tout se passe en silence.

Lorsqu'ils s'arrêtèrent dans une petite vallée, entre deux montagnes, il faisait presque nuit.

Moon Buffalo construisit un feu et fit asseoir Augustin du côté vers lequel soufflait le vent. Il jeta ensuite plusieurs herbes différentes sur le feu en chantant dans une langue qu'Augustin ne connaissait pas. « Pour aider à concentrer le vide », marmonna-t-il en lui faisant signe de ne pas bouger. De ne pas chercher à se protéger de la fumée.

Augustin obtempéra. Même si les yeux lui brûlaient et que ses poumons protestaient avec de rudes quintes de toux, il endura ce « nettoyage » pendant plusieurs heures.

« Les absences », expliqua de nouveau l'Indien. « Il faut concentrer les absences qui t'habitent ».

Après un certain temps, son corps sembla s'habituer à la fumée. La cérémonie se poursuivit une grande partie de la nuit: le chamane chanta presque continuellement, s'accompagnant à certains moments d'un tambour.

Augustin sentit son corps devenir d'une rigidité absolue ; son regard se concentra sur la fumée qui surgissait du feu en lourdes volutes pour l'envelopper. Le chant et le rythme du tambour s'étaient insinués dans son corps et scandaient les battements de son cœur.

Le plus extraordinaire était la conscience physique qu'il avait de lui-même. D'innombrables démangeaisons surgissaient partout en lui, pour ensuite s'acheminer vers les protubérances qui avaient poussé sous sa peau au cours des dernières semaines. Chaque fois qu'une démangeaison parvenait à destination, une brève sensation de brûlure marquait son arrivée.

À mesure que se poursuivait le nettoyage de son corps, les petites bosses prenaient de la consistance ; il les sentait comme des billes de plomb qu'on lui aurait insérées sous la peau. Et ces billes, elles aussi, se mirent à bouger, à se rassembler, jusqu'à ce qu'il ne reste plus que quatre protubérances, une sur chaque membre. Il pouvait sentir leur présence, sous ses vêtements, aussi nettement que s'il les avait vues.

Un coup de vent changea brusquement la direction de la fumée.

« C'est le temps », fit alors l'Indien. Il se leva, s'approcha d'Augustin et lui dénuda le bras droit. La peau qui recouvrait l'enflure était presque transparente à force d'être tendue.

Avec son couteau de chasse, Moon Buffalo fit une minuscule entaille au centre de la protubérance. Il en approcha ensuite les lèvres et il en aspira le contenu, en pinçant les côtés de la bosse entre ses dents. Puis il recracha dans une corne creuse une masse noire qui semblait enrobée d'une lueur bleutée.

Le chamane procéda ainsi pour chacun des membres pendant qu'Augustin le regardait, trop surpris pour opposer la moindre résistance. Quand ce fut terminé, la corne était remplie aux deux tiers de cette étrange substance sombre entourée d'un halo lumineux.

En examinant sa peau, Augustin constata qu'il n'y avait pratiquement plus de marques : ni des bosses qu'il avait eues pendant les dernières semaines, ni même des incisions.

Le chamane appliqua un onguent aux quatre endroits et dit à Augustin de se rhabiller. Il inséra ensuite un chiffon imbibé du même onguent dans la corne pour achever de la remplir. Puis il la scella avec de la cire.

« Voilà, dit-il en la lui montrant.

— Je suis guéri ?

— Personne n'est jamais guéri. Mais tu peux apprendre à te servir de tes blessures pour mieux vivre. »

Augustin eut l'idée de répondre qu'il n'était pas tellement d'humeur à apprécier des capsules de « sagesse autochtone », mais le souvenir des événements de la nuit était encore trop vif à son esprit.

« Il faut maintenant que tu aies une vision, reprit l'Indien.

— Comment est-ce que je fais ?

— Tu restes ici et tu attends que la vision vienne te visiter.

— Et si elle ne vient pas ?

— Elle viendra. Si tu attends assez longtemps, elle viendra.

— Je n'ai pas toute la vie.

— Au contraire. C'est la seule chose que tu as.

— Et si je pars, les bosses vont repousser?

— C'est inévitable.

— Autrement dit, je n'ai pas le choix.

— On a toujours le choix. »

Moon Buffalo se leva et lui remit la corne entre les mains en lui disant d'y concentrer toute son attention. Sous aucun prétexte, il ne devait la laisser échapper. Autrement, tout serait compromis. Même le sommeil n'était pas une excuse: il fallait qu'il se débrouille pour la garder entre ses mains et maintenir une concentration sans faille.

Puis il partit, lui disant qu'il reviendrait le chercher quand il aurait eu sa vision. Pas besoin de s'inquiéter, il saurait quand venir.

Au début, Augustin n'arrivait pas à se concentrer. Pendant toute la journée, il lutta contre les distractions. Tantôt c'était le chant des oiseaux qui l'accaparait, tantôt la peur de voir surgir un animal sauvage, tantôt les tiraillements de son estomac…

Chaque fois qu'il se surprenait à divaguer, il ramenait son attention sur la corne.

Pendant la nuit, la peur des animaux sauvages refit surface. Au point qu'il fut à plusieurs reprises sur le point de tout laisser tomber et de partir. Mais il en avait trop fait pour tout abandonner maintenant. Il devait continuer. Aller jusqu'au bout.

Après un certain temps, il constata que sa vision nocturne s'affinait. Il pouvait distinguer un grand nombre de formes dans l'obscurité, ce qui devint une nouvelle source de distraction – ça et les bruits. Moins il voyait, plus les bruits prenaient de l'importance. Il cherchait à interpréter le plus petit craquement, le moindre bruissement d'herbe.

À force d'efforts, il parvint toutefois à ramener son attention sur la corne pendant des périodes de plus en plus longues.

Le lever du soleil acheva de dissoudre ses angoisses. La journée qui suivit passa plus rapidement que la précédente. Il était surpris de ne pas s'endormir davantage. À son insu, il s'était pris au jeu : il avait plaisir à ramener ses pensées à la corne dès qu'il se surprenait à rêvasser.

Sa principale distraction, au cours de cette journée, fut de s'interroger sur sa vision.

Il était probable qu'elle n'allait pas venir. Combien de temps Moon Buffalo allait-il attendre avant de se manifester ?... Augustin était résolu à ne pas abandonner. Mais il n'arrivait pas à écarter complètement l'idée que l'Indien puisse ne pas revenir. Peut-être avait-il eu un accident ? Ou un malaise ? Il n'était plus très jeune... Seul, abandonné à lui-même, Augustin n'était pas sûr de pouvoir retrouver son chemin. Et plus il attendait, plus il s'affaiblissait...

Au cours de la nuit suivante, il remarqua que la corne émettait une lueur bleutée à peine perceptible. Une lueur semblable à celle que dégageait la matière qui y était enfermée.

Puis il s'aperçut que ses mains, ses bras et, progressivement, tout son corps étaient couverts de la même lueur. On aurait dit la flamme éthérée et vacillante que produisent certains résidus de matières gazeuses. Était-ce la vision qu'il attendait ? Si oui, quelle réponse pouvait-elle bien lui apporter ?

Comme il s'efforçait de se concentrer sur la corne, il se vit tout à coup entouré de gens. Des gens qui étaient tous affectés par des problèmes contraires aux siens. Certains étaient pris dans des liens affectifs qui les brisaient et qu'ils n'arrivaient pas à rompre. D'autres étaient la proie d'obsessions ou de peurs qui ne les quittaient plus et qui grugeaient le moindre instant de leur vie. D'autres encore souffraient de l'avidité avec laquelle ils s'attachaient aux objets, du sérieux avec lequel ils s'agrippaient à la moindre de leurs idées, à la plus petite remarque qu'on leur faisait.

Il vit ensuite l'étrange lueur évanescente glisser de ses doigts au corps des autres et s'attaquer aux liens qui les retenaient. Il vit les attachements se mettre à fondre sous l'effet corrosif de la lueur bleutée. Il vit les gens se dégager de leurs liens, cesser progressivement d'être attachés aux images intérieures qui les paralysaient. Il vit fondre leur sérieux, s'évanouir leur angoisse du moindre reproche. Il vit disparaître les obsessions qui les enchaînaient à leurs comportements.

Lorsque ces images se furent dissoutes, il se vit, le soir, passer un long moment assis, la corne entre les mains, comme pour équilibrer le flux d'énergie que produisait son corps et qui prenait la forme de cette flamme bleutée.

Quand il ouvrit les yeux, son ami chamane était debout devant lui, un sourire moqueur sur le visage.

Augustin sourit à son tour.

« Je pense que j'ai compris ce que tu voulais me faire comprendre, dit-il.

— Je ne voulais rien te faire comprendre.

— Non ?

— Personne ne peut savoir ce qu'un autre doit apprendre. »

Le Poids de l'ombre

Ils étaient cinq sur l'image. Cinq à sourire de toutes leurs dents sur la plage du club Med. La caméra avait saisi leur expression mi-béate mirieuse de citoyens blanchâtres en train de se faire cuire sous le soleil de la Méditerranée.

Apprendre à décompresser, avait dit le médecin.

Carlos n'avait pas eu le choix. Pour combattre l'ombre de la dépression et du *burn out*, il s'était soumis à une cure de bronzage intensif, abandonnant tout souci entre les mains des Gentils organisateurs.

Bien sûr, il avait dû sabrer dans son agenda pour y creuser un trou de deux semaines. Mais enfin, puisqu'il le fallait...

Les vacances lui avaient fait le plus grand bien.

Pourtant, chaque fois qu'il regardait ce cliché, il ressentait un malaise confus. Quelque chose dans la photo le troublait. Quelque chose qu'il n'était parvenu que récemment à identifier.

Sur la photo, l'ombre de toutes les personnes tombait derrière elles, vers la gauche. La sienne tombait également derrière lui, mais vers la droite. Et il n'y avait pas d'autre source lumineuse que le soleil !

Peut-être un défaut dans l'image, songea-t-il d'abord. Un accident lors de l'impression. Pourtant, lorsqu'il fit analyser l'image, l'expert la certifia conforme : rien, aucun accident, aucune manipulation ne pouvait expliquer cette ombre déplacée.

Bizarre…

Carlos relégua l'événement dans les marges de sa mémoire, en compagnie des ovnis, des moutons à cinq pattes et de tout ce qui tombe dans la catégorie des phénomènes étranges. Mais il prit quand même l'habitude de lancer des coups d'œil furtifs à son ombre.

Quand il marchait dans la rue, ou quand le soleil pénétrait dans son salon par l'immense baie vitrée, il était rare qu'il ne jette pas un regard rapide. Pas vraiment pour vérifier. Mais quand même… C'était curieux, cette histoire.

Plusieurs semaines passèrent sans qu'il remarque la moindre anomalie.

Un jour qu'il recevait une amie à souper et qu'ils regardaient le soleil couchant, entre deux sommets arrondis des Laurentides, il crut remarquer du coin de l'œil que son ombre avait dévié. Mais le temps qu'il y fixe son regard, tout était rentré dans l'ordre.

À partir de ce jour, il la surprit de plus en plus souvent à l'écart de sa position normale. Au début, elle reprenait sa place dès qu'il tournait les yeux dans sa direction. Puis, avec le temps, elle prit l'habitude de s'attarder où bon lui semblait, sans se soucier que son propriétaire la regarde ou non.

Cela aurait pu devenir gênant. Surtout qu'elle s'approchait des gens vers qui il se sentait attiré et qu'elle s'éloignait de ceux qu'il n'aimait pas. Par chance, personne ne s'apercevait de rien…

Pour éviter les situations embarrassantes, Carlos sortit de moins en moins. Quand il recevait des gens chez lui, il gardait les persiennes mi-closes pour éliminer tout éclairage direct.

La vigilance de tous les instants à laquelle il était contraint l'épuisait. Pour se reposer, il lui arrivait d'éteindre toutes les lumières et de laisser son ombre se dissoudre dans l'obscurité de la pièce.

Au début, cette pratique intensive de l'obscurité le reposait. Après un certain temps, il commença toutefois à ressentir des étourdissements, des pertes d'équilibre. Une de ses amies, infirmière, le jugea anémique. Du surmenage, probablement. Trop de travail et de stress. Jamais le nez dehors. Ça expliquait son teint pâlot. Le remède était simple : du repos et… du soleil. Des vacances, quoi !

« Même ton ombre doit être un peu pâle ! » lui lança-t-elle en boutade.

Inquiet, Carlos ne laissa rien paraître. Mais il vérifia. Discrètement.

Son ombre avait effectivement pâli.

À contrecœur, il se résigna à obtempérer. Il se paya un séjour de trois semaines en Jamaïque.

Le soleil et le vent de la mer eurent tôt fait de ranimer sa vitalité : après quelques jours seulement, il se sentait mieux. Son ombre avait une consistance à peu près normale. Le matin, il se levait en forme. Ça faisait longtemps que ça ne lui était arrivé.

Cependant, au milieu de la deuxième semaine, il constata qu'il se couchait chaque soir plus fatigué… Le stress qui tombe, commença-t-il par penser. La fatigue accumulée qui sort…

Il entreprit néanmoins de s'observer, de noter à quel moment les symptômes de fatigue apparaissaient. Peut-être, sans s'en rendre compte, maintenait-il des tensions dans certaines parties de son corps ? Peut-être était-ce une question de posture ?

Mais non. À mesure que la journée avançait, le moindre geste lui coûtait un effort supplémentaire… Probablement les vacances, finit-il par se dire. Tout le monde en revient plus fatigué.

C'est uniquement de retour chez lui, la semaine suivante, qu'il comprit : encore son ombre qui faisait des siennes ! Maintenant, quand il marchait, elle traînait derrière lui, s'étirait un peu, comme si elle collait sur place avant de se résigner à le suivre…

De là venait probablement la fatigue dont il n'arrivait plus à se libérer : du fait d'avoir sans cesse à la tirer.

Il était piégé. Ou bien il demeurait à l'ombre pour dissoudre la sienne, et alors sa santé s'étiolait ; ou bien il prenait du soleil pour se refaire une santé, et alors il s'épuisait à traîner son ombre.

Carlos essaya de ruser : il installa chez lui un équipement pour bronzer et il disposa le matériel de telle sorte que, lorsqu'il était étendu, son ombre n'avait aucun endroit où tomber.

Une vingtaine de jours plus tard, son ombre avait complètement disparu. Quant à lui, il affichait un teint resplendissant. Il pouvait à nouveau sortir sans danger. Sauf qu'il devait éviter les endroits trop éclairés : on aurait pu s'apercevoir qu'il n'avait pas d'ombre… Finalement, ne pas en avoir était aussi embarrassant que d'en avoir une qui faisait des excentricités.

Et puis, très vite, des effets secondaires apparurent : étourdissements, sensations de vertige, manque de coordination dans les gestes… C'était comme si, privé du contrepoids de son ombre, il se sentait à tout moment hors d'équilibre.

Résigné à la faire revivre, il s'offrit à nouveau des vacances. Dans un petit chalet, cette fois. Près d'une plage déserte.

Au début, il ne se passa rien, comme si son ombre hésitait à se manifester.

Il persévéra.

Au début de la deuxième semaine, il commença à en distinguer les contours. On aurait dit un mince voile d'obscurité qui se posait sur le sable.

Puis elle se mit à prendre de la densité, mais de façon anarchique, épaississant à certains endroits, demeurant à la limite de la transparence à d'autres. Fragile, il lui arrivait de se déchirer, de perdre des morceaux.

Au bout de cinq semaines pourtant, la guérison était achevée. Seul un œil averti aurait pu distinguer des taches un peu plus pâles dans l'ombre qui le suivait… Sauf qu'elle commença à se fissurer. Le moindre mouvement brusque ajoutait quelques lignes au réseau de lézardes qui l'envahissait. À certains moments, il pouvait même l'entendre craquer. Cela ressemblait aux bruits que fait la glace par temps de grand froid.

Un matin, comme il faisait un écart de côté pour éviter de trébucher sur un de ses chats, son ombre vola en éclats et se répandit sur le sol avec un bruit de verre cassé. Il essaya bien de ramasser les morceaux, mais ils se désagrégeaient entre ses doigts.

Quelques minutes plus tard, sur le plancher de céramique de la véranda, il ne restait rien.

Carlos fit une nouvelle cure sur le bord de la plage déserte. L'ombre prit plus de temps encore à se reconstituer. Et, quand elle le fut, son comportement se modifia. Elle s'agrippait constamment à ses jambes, parfois au point de le recouvrir jusqu'à la taille. Comme si elle avait peur de s'éloigner. Qu'elle voulait maintenir le contact à tout prix. Il la sentait peser sur lui comme une chape de plomb. Seuls des éclairages très vifs la forçaient à retraiter.

Un jour qu'il était dans la cuisine et qu'elle tentait de se coller sur lui, Carlos se déplaça devant la lampe halogène : cela eut pour effet de la faire fuir sur le mur d'en face. Saisissant un couteau, il l'enfonça dans l'ombre, à la hauteur de l'épaule. Aussitôt, il sentit une douleur aiguë dans la sienne. Pendant que du sang dégoulinait sur le mur, une traînée d'ombre se mit à couler de son épaule, à descendre le long de son bras.

Il couvrit immédiatement de sa main le trou qui était apparu dans son épaule, mais la coulée d'ombre s'infiltra entre ses doigts, continuant de descendre le long de sa manche pour dégoutter sur le plancher. Une flaque noire commençait à s'y former.

Carlos eut alors le réflexe de retirer le couteau du mur et d'appuyer un mouchoir à l'endroit où il était planté. Le sang arrêta de suinter ; en même temps, la traînée d'ombre cessa de couler de son épaule.

Aussitôt qu'il cessait d'appuyer le mouchoir sur la blessure de son ombre, elle recommençait à saigner. Et la traînée noire recommençait à dégouliner sur sa chemise.

Il resta ainsi plus de deux jours, à tenir le mouchoir appuyé contre le mur. Deux jours à regarder son ombre. Sans pouvoir bouger. Ni retirer le mouchoir du mur.

À la moindre défaillance, le sang et l'ombre recommençaient à couler. Il sentait alors un vide glacé l'envahir, un vide qu'il pressentait être celui de la mort.

D'abord submergé par la panique, il réussit progressivement à se calmer. Quand il restait immobile, son mouchoir appuyé contre la blessure, la sensation de glace se dissolvait peu à peu.

Au bout d'un certain temps, il se mit à avoir des hallucinations : différentes choses semblaient prendre vie dans l'obscurité de son ombre. Il suffisait qu'il maintienne son regard absolument fixe pendant quelques minutes pour que les formes se précisent, qu'elles se mettent à palpiter : il y retrouvait des monstres issus de ses terreurs enfantines, d'autres jaillis de tous les films d'horreur qu'il avait regardés pendant son adolescence.

À plusieurs reprises, la terreur le fit reculer. Mais le sang qui coulait et le sentiment glacé de la mort qui s'infiltrait en lui le ramenaient à sa position.

Finalement, les monstres disparurent. Il prit alors conscience d'un curieux phénomène : son ombre semblait se dédoubler, comme s'il y en avait eu plusieurs de superposées. Et chacune des ombres qui se détachait de la sienne lui semblait familière, lui ramenait le souvenir de quelqu'un.

La première lui rappela sa mère, avec son allure fière, presque arrogante. Celle de sa sœur émergea ensuite, morte quand il avait cinq ans. Celle de son grand-père suivit. Puis celle de sa grand-mère. Et, à la fin, dissimulée derrière toutes les autres, celle de son père.

Après cela, son ombre retrouva une consistance normale.

Vers la fin de la troisième journée, il réussit à s'éloigner pendant quelques instants. Il en profita pour aller à la salle de bains et il rapporta un pansement, qu'il fixa sur le mur, à l'endroit où son ombre était restée collée. Après quoi, en faisant attention de ne pas se déplacer trop brusquement, il se rendit dans sa chambre, où il s'endormit.

Il y resta plus de vingt-quatre heures.

En se réveillant, il sentit une certaine raideur à l'épaule, mais sans plus. Il se leva avec précaution et constata que sa blessure était guérie.

Sous le pansement fixé au mur, il n'y avait plus rien. Dès qu'il l'eut arraché, son ombre recommença à le suivre. Seule une tache plus sombre, à la hauteur de l'épaule, y témoignait des événements récents. Elle n'était pas facilement visible, mais, en se concentrant, il pouvait en repérer la trace en forme d'entaille.

Cela mis à part, son ombre semblait avoir retrouvé un comportement normal. Il passa quand même de longues heures à la surveiller. À la scruter.

Vers la fin de la journée, il avait identifié un grand nombre de marques plus ou moins sombres, comme des cicatrices, dans la texture apparemment uniforme de son ombre.

Le lendemain, il constata qu'il pouvait déceler le même genre de détails dans celle des autres : on aurait vraiment dit des cicatrices, des blessures en train de cicatriser... ou de s'ouvrir.

Plus il observait la sienne, mieux il percevait celle des autres. Et plus il se sentait mal de découvrir toutes ces marques de blessures, de souffrances que les gens portaient dans leur ombre, à leur insu.

Il se sentait d'autant plus mal, qu'il n'arrivait pas à croire ce qui lui arrivait : il s'était tellement fait rebattre les oreilles par les croyants de l'aura, il n'allait quand même pas se mettre à en voir lui aussi !... Des auras négatives, avec d'imperceptibles nuances d'obscurité !

Bien que sceptique, il continua de s'intéresser à l'ombre des autres. En les observant, en déchiffrant les réseaux de zébrures qui les recouvraient, il avait l'impression de mieux les comprendre.

Au bout d'un certain temps, il s'aperçut que ces blessures oubliées, reléguées dans l'ombre, continuaient de vivre et de se développer, de peser sur la vie des gens. Jusqu'à ce que leur poids se fasse trop lourd. Qu'il les écrase.

Pour les soigner véritablement, il aurait fallu soigner leur ombre. Car il s'était rendu compte d'une chose : plus il passait de temps à observer son ombre à lui, plus les marques s'atténuaient ; et mieux il se sentait. Si seulement il pouvait trouver un moyen pour convaincre les gens d'en faire autant...

Mais comment? Qui donc accepterait de prendre soin de son ombre?

C'est alors que Carlos eut l'idée des bains de soleil dirigés. Pour parer aux résistances des gens, il prétendit avoir découvert une forme de traitement par la lumière. La lumière curative, c'était conforme à toutes les traditions médicales ou religieuses. À tous les rites sociaux en vogue.

Il y avait toutefois une contrainte particulière, dans le traitement qu'il proposait à ses patients : pour ne pas abîmer leurs yeux, ils devaient les garder constamment fixés sur leur ombre, droit devant eux, et se garder de la lumière éblouissante qui les frappait de dos. Car il n'était pas question qu'ils ferment les yeux : le traitement exigeait que la rétine reçoive, elle aussi, une certaine quantité de lumière. Le truc, expliquait-il, était de se concentrer sur son ombre, de garder les yeux rivés sur elle, en la balayant lentement de façon régulière : on évitait ainsi de se fatiguer les yeux inutilement.

C'est de cette façon qu'il réussit à rendre acceptable la formule de sa cure miracle. Et, malgré de nombreuses guérisons, personne ne découvrit son secret. Sauf que la justice, alertée par les autorités médicales, le poursuivit pour pratique illégale de la médecine.

Se doutant bien qu'on accorderait peu de créance à sa méthode, il préféra ne pas en parler et se laisser condamner.

Il passa donc le reste de sa vie à l'ombre, étrangement heureux, s'absorbant pendant des journées entières dans la contemplation de la sienne. Il apprenait à la connaître, à la maîtriser... Jusqu'au jour où il finit par s'y fondre complètement et disparaître.

Sur les registres officiels, on le porta disparu. C'était l'évasion la plus mystérieuse de toutes les annales du crime.

À plusieurs reprises, on signala sa présence, un peu partout au pays. Mais on ne réussit jamais à lui mettre la main au collet. Il était devenu aussi insaisissable... qu'une ombre.

Dans l'imagerie populaire, c'est d'ailleurs de ce surnom qu'il hérita: l'Ombre. Il se mit à courir toutes sortes d'histoires à son sujet. Des histoires comme quoi il apparaissait parfois à certaines personnes, aux heures les plus sombres, pour leur enseigner une partie de son savoir, de sa maîtrise de l'obscurité, et qu'il disparaissait ensuite, sans laisser plus de traces que la nuit.

L'Autoroute de rêve

Tout commença à l'époque où il servait la messe.

Bien sûr, à ce moment-là, personne ne s'aperçut de rien. Lui non plus d'ailleurs. Julius était un enfant de chœur modèle : toujours soigneusement coiffé, il n'oubliait jamais ses répons et, s'il lui arrivait parfois de boire du vin de messe en cachette, c'était rarement plus d'une gorgée ou deux.

Or voilà qu'un beau matin, sans raison, ses cheveux refusèrent totalement d'obéir au peigne. Malgré des efforts persistants, ils lui retombaient de chaque côté de la tête avec toute la grâce d'une vadrouille mouillée.

Pire encore : en s'aplatissant, sa chevelure se partageait de façon symétrique de chaque côté du visage, dénudant une raie blanche qui partait du front et lui traversait le sommet du crâne jusqu'au point de rosette.

Consternation dans la famille. Sa mère ressortit des photos prises quand il avait tenu le rôle du petit saint Jean-Baptiste, à l'âge de trois ans… Lui qui avait toujours eu de si jolies boucles !

Son père l'interrogea longuement – une discussion entre hommes – pour savoir s'il n'avait pas contracté une de ces fameuses « maladies ». Un oncle médecin lui fit passer des tests…

Rien.

Rien n'expliquait cette transformation catastrophique. Et rien ne semblait pouvoir en venir à bout. Aucun gel, aucun traitement capillaire ne réussit à lui ramener ses boucles délicates.

Julius connut alors une courte période de dépression. Puis il se fit une raison : après tout, la valeur d'un homme se mesure à ce qu'il a à l'intérieur du crâne, pas à ce qui pousse dessus… Mais il se fit quand même couper les cheveux très courts. Pour minimiser l'effet.

Il se trouva, bien sûr, quelques amis pour le taquiner. Des amis qui l'appelèrent « l'autoroute », à cause de la ligne blanche. Mais là s'arrêtèrent les retombées de sa transformation. Rien de bien grave.

Les années passèrent.

Tous les matins, devant le miroir, il regardait le tracé rectiligne, blanc et obstiné qui lui séparait les cheveux jusqu'à l'arrière de la tête. Une raie parfaite, qu'il n'avait pas besoin d'entretenir et qui semblait avoir sa vie propre. Souvent, pendant la journée, il en sentait la présence, comme si elle exerçait une pression discrète mais continue sur le milieu de son crâne.

Un jour, il crut s'apercevoir que sa raie s'était élargie. Allait-il devenir complètement chauve ?… Il se dépêcha de mesurer.

Une semaine plus tard, les résultats étaient clairs : le blanc avait grugé plusieurs millimètres de cheveux. Si le processus se poursuivait, il risquait la calvitie intégrale. Mais, tout compte fait, ce n'était pas une si mauvaise nouvelle. Autant ne pas avoir de cheveux du tout que d'être affligé de cette coiffure ridicule. Chauve, il entrerait dans la norme. Dans une certaine norme, du moins.

Le lendemain, une nouvelle source d'inquiétude vint toutefois réduire son soulagement. À plusieurs reprises, il ressentit des élancements sur le sommet du crâne. Des élancements qui semblaient suivre exactement le tracé de sa séparation pour ensuite irradier de chaque côté de la tête.

Au bout de trois jours, les élancements étaient devenus douleur. Une douleur lancinante qui continuait lentement de s'amplifier.

À la fois gêné et déconcerté par ses symptômes, Julius décida de se soigner lui-même : pas question d'aller dire à un médecin qu'il avait mal aux cheveux ! Surtout à un endroit où il n'y en avait plus !... « Docteur, mes cheveux me font mal en tombant ! »

Il prit deux comprimés d'analgésique. Le résultat fut presque immédiat. Mais temporaire. Deux heures plus tard, il dut renouveler la dose. Aussitôt qu'il interrompait la médication, ses symptômes revenaient. Pour vivre normalement et maintenir les apparences, il lui fallait faire un usage continu de médicaments.

Avec le temps, la douleur s'approfondissait. Comme si une lame s'enfonçait progressivement dans le milieu de son crâne. Que la tête lui fendait. Tous les jours, il passait plusieurs heures devant le miroir, à observer le dessus de sa tête. À la palper. À surveiller les progrès de sa calvitie.

Il ne regardait pas ses cheveux pousser, il les regardait disparaître.

C'est vraiment devenu une autoroute, se surprit-il à penser. Une autoroute pour mal de tête…

En passant le bout du doigt dans la raie de ses cheveux, comme il le faisait régulièrement, il constata que le sillon était en train de s'incruster dans l'os de son crâne. On pouvait nettement sentir le tracé, en creux, sur toute la longueur.

Une semaine plus tard, le creux était visible à l'œil nu.

Julius prit l'habitude de ne plus sortir sans chapeau. Il racontait à tout le monde qu'il avait pris une gageure et qu'il tenait à la gagner : pendant une année complète, personne le verrait sans couvre-chef.

Comme il n'en était pas à sa première originalité, on ne douta pas de son histoire. Et, chaque soir, dans le secret de sa salle de bains, Julius surveillait avec un mélange d'angoisse et de fascination le développement de son autoroute.

Après un certain temps, il dut se rendre à l'évidence : de façon lente mais régulière, les deux bordures s'écartaient l'une de l'autre.

Le sillon se creusait.

Heureusement, la douleur s'était stabilisée à un niveau contrôlable. Sa vie nocturne, par contre, prit une tournure particulière. Un rêve, toujours le même, l'assaillait nuit après nuit : il était dans un désert et il pleuvait des haches. Elles tombaient du ciel, le tranchant orienté vers le bas, en contradiction manifeste avec toutes les lois de la gravité.

Dans son rêve, il devait sans cesse courir entre les haches qui tombaient. Il devait également éviter de trébucher sur celles qui étaient plantées dans le sol.

Plus la pluie s'intensifiait, plus il devait courir vite. Parfois, il réussissait à entrevoir des collines verdoyantes au bout du désert. Mais il ne parvenait jamais à les atteindre. Chaque fois, une hache venait interrompre sa course en se fixant dans son crâne. Une douleur fulgurante lui labourait alors le dessus de la tête et faisait éclater son rêve.

Il s'éveillait en sueurs, tremblant et paniqué, se demandant où il était.

Pendant le jour, il s'était institué entre lui et son autoroute une étrange intimité. Elle l'obsédait totalement : il la palpait, la mesurait, notait ses progrès dans un petit calepin... Il avait même acheté des billes de différentes grosseurs pour les faire rouler dans le sillon ; il pouvait ainsi en mesurer la largeur de façon précise.

À mesure que Julius consacrait davantage de temps à l'observation de son autoroute, à mesure qu'il notait ses développements et qu'il faisait des prévisions de plus en plus exactes sur son évolution, un phénomène singulier se produisit : il développa un certain contrôle sur ses rêves.

Toutes les nuits, le désert de haches était au rendez-vous. Mais Julius parvenait maintenant à se dissocier en partie du spectacle : une part de lui-même continuait de courir, en proie à la terreur la plus intense, pendant qu'une autre observait la scène de façon impassible, sachant confusément qu'il s'agissait d'un rêve. Et si, à chaque réveil, la douleur était toujours aussi fulgurante, elle se dissipait plus rapidement.

Un jour, Julius eut de la difficulté à mettre son chapeau : il était devenu trop étroit. Il prit alors conscience d'un autre aspect saugrenu du phénomène qui affectait son crâne : de chaque côté de la séparation, les deux sommets étaient en voie de s'écarter l'un de l'autre et de s'arrondir, comme une paire de fesses.

L'image de la dérive des continents, dont il avait vu une simulation animée à la télévision, surgit dans son esprit. Il assistait maintenant à celle de ses hémisphères cérébraux !

Le lendemain, il quittait son travail. En vivant de façon parcimonieuse, ses économies lui permettraient de tenir pendant plusieurs années. Il pourrait consacrer tout son temps à l'observation de son crâne.

Au fil des semaines, il observa son autoroute devenir une faille et lui séparer le dessus de la tête en deux moitiés. Sans s'en rendre compte, il avait fini par accepter le caractère inexorable du processus. Par y trouver un certain plaisir, même.

Avec ses deux sommets rebondis écartés l'un de l'autre et son menton pointu, sa tête ressemblait de plus en plus à un cœur.

Pendant la nuit, les choses suivaient également leur cours : non seulement parvenait-il à se détacher complètement du personnage qui affrontait le désert de haches, mais il était parfois capable de l'aider à contrôler les événements. Ainsi, à quelques reprises, il réussit à ralentir la pluie : les haches continuaient de tomber, mais très lentement, comme si elles s'enfonçaient dans un milieu particulièrement dense.

Une autre fois, la conscience qu'il avait de rêver lui permit d'immobiliser complètement une hache à l'instant où elle allait se planter dans son crâne.

Ce détachement se répercutait dans sa vie quotidienne. Julius, autrefois si traumatisé par une simple calvitie, acceptait maintenant sa nouvelle tête. Il recommença à voir ses amis, à faire des sorties. Il abandonna même son chapeau.

Pendant quelques mois, sa photo fut dans tous les journaux. On se l'arracha pour les émissions de variétés et d'information. Une compagnie lui offrit même une somme importante pour l'utilisation exclusive de sa tête sur des cartes de Saint-Valentin.

Julius accepta. Cet argent achevait de le mettre à l'abri du besoin. Il accepta également de se soumettre à des examens médicaux. Lorsqu'il était devenu évident qu'il ne s'agissait pas d'une simple malformation et que le processus se poursuivait, de nombreux chercheurs l'avaient inondé de demandes.

Dans le même esprit de détachement et d'ouverture, il accepta de rédiger sa biographie. Il évoqua les premiers moments de sa « maladie », parla de ses rêves, raconta comment ils étaient devenus de plus en plus intenses, de plus en plus réels.

Côté nuit, son personnage d'observateur détaché parvenait à s'unir pendant de longs moments avec celui qui vivait le rêve : tout en conservant son détachement, il voyait par les yeux de l'autre et il s'exerçait à maîtriser le contenu du rêve. Il jouait à ralentir puis accélérer la pluie de haches, à modifier leurs formes, leurs couleurs, leurs textures.

À une occasion, il les immobilisa complètement dans le ciel, comme s'il avait arrêté la projection d'un film. Il se promena ensuite pendant plusieurs minutes parmi les haches, les touchant, les examinant sous tous les angles, les prenant dans ses mains, les déplaçant… Lorsqu'il les relâchait, elles demeuraient immobiles, suspendues en l'air à l'endroit où il les avait abandonnées.

Il y avait toutefois une chose que Julius n'arrivait pas à faire : sortir du désert. Quand il parvenait au seuil des collines verdoyantes, il se heurtait à une barrière transparente de plastique mou, une barrière dans laquelle il s'enfonçait et s'engluait progressivement, jusqu'à ne plus pouvoir avancer.

Parallèlement, sa vie quotidienne se transforma. Il se mit à ressentir une impression de dédoublement. En plus de sa pensée habituelle, une autre voix émergeait à certains moments dans sa tête pour faire des commentaires sur ce qu'il était en train de penser, lui déconseiller un geste qu'il voulait poser ou même le mettre en garde contre quelque chose qui risquait de survenir.

Avec le temps, chacune des deux voix finit par entretenir un monologue distinct et continu. Il avait l'impression que les deux parties de sa tête suivaient chacune le fil de leur pensée.

Ce phénomène s'accompagna pendant un certain temps d'une tendance à voir double, comme si chaque partie de sa tête faisait un usage parallèle et simultané de ses yeux. À une différence près, cependant : sa nouvelle vision lui révélait souvent des choses qui n'existaient pas. Qui n'existaient pas encore, du moins... car elles avaient tendance à se réaliser par la suite.

Prudent, Julius ne parla à personne de cette nouvelle faculté. Avec deux têtes, on aurait pu admettre à la rigueur qu'il souffre de double vision. Mais de double vue?... Assez rapidement, il réussit à contrôler adéquatement cette aptitude : il pouvait se brancher à volonté sur l'une ou l'autre vision.

Tout comme le dédoublement de rêve lui avait permis de maîtriser les cauchemars, cette deuxième vision lui permit de poser sur les choses un regard détaché qui neutralisait toutes les douleurs et les angoisses, toute la tristesse de sa vie. Il pouvait ainsi contrôler l'impact émotif que les choses avaient sur lui.

Les expériences médicales apportèrent pour leur part quelques éclaircissements sur la nature de ce qui était à l'œuvre sous son crâne : les deux hémisphères cérébraux étaient en voie de se dissocier complètement l'un de l'autre. Déjà, ils ne communiquaient presque plus par l'intermédiaire du corps calleux. Était-ce là l'explication de ses nouvelles facultés ? Julius préféra ne pas soulever la question avec les spécialistes. Plus tard, ceux-ci auraient tout le temps de se livrer au jeu des spéculations. Pour le moment, il y avait plus urgent.

Chaque jour, il passait de nombreuses heures à rédiger sa biographie. La nuit, il poursuivait son travail de rêve.

La barrière gluante s'éclaircissait de plus en plus, jusqu'à devenir une fine pellicule de plastique, déformable à volonté. Chaque fois, il essayait de la franchir : soit en se précipitant au travers, soit en exerçant une pression continue pour la faire céder.

Une nuit, il entendit un claquement sec, comme si la barrière s'était enfin rompue. Pourtant, elle continuait de l'enrober de toutes parts. En se retournant, il s'aperçut qu'il l'avait tout de même franchie – d'une certaine façon. Un fragment de barrière s'était détaché pour l'enrober ; seul un minuscule fil continuait de le relier au mur transparent.

Inquiet, il revint sur ses pas.

Il réussit sans aucune difficulté à traverser dans l'autre sens : la pellicule qui le recouvrait se fondit dans la barrière.

Il recommença l'opération à plusieurs reprises et, lorsqu'il fut convaincu de maîtriser le processus, il se risqua à s'éloigner. Ce fut son premier voyage dans les collines.

La vie animale y était abondante, mais il ne rencontra aucune présence humaine. Tout au long de ses déplacements, le fil qui le reliait au mur transparent continuait de s'étirer, devenant de plus en plus mince sans pourtant jamais se rompre.

Pendant le jour, ses expériences de double vue se multiplièrent. Il pouvait presque voir les paroles se former sur les lèvres des gens, comme s'il les pressentait une fraction de seconde avant qu'ils ne les expriment. Quant à sa deuxième voix, elle lui formulait souvent des avis tranchants sur les événements dont il était témoin ou sur les gens qu'il rencontrait. Comme si, par-delà les paroles et les masques sociaux, une partie de lui-même entrait directement en contact avec les gens.

La nuit, il continuait de voyager dans les collines. La pellicule transparente qui l'enrobait semblait bloquer tous ses sens à l'exception de la vue : il se promenait dans un monde de silence, sans odeurs ni textures.

Après des semaines d'exploration, il rencontra enfin quelqu'un. Un homme qui semblait son jumeau, mais en plus jeune. En plus énergique, plus vivant.

L'homme parlait abondamment en lui désignant les choses de son monde, mais Julius n'entendait rien.

Au moment de partir, lorsque l'être des collines lui mit la main sur l'épaule, Julius sentit une vague d'énergie le parcourir.

Le lendemain, au réveil, il s'aperçut que ses deux pensées avaient acquis une existence totalement autonome et qu'il pouvait se concentrer sur les deux en même temps sans aucun problème.

Toutes les nuits, il retrouvait son jumeau. Ce dernier passait de longues heures à le guider dans son univers. Sans entendre le moindre son, Julius sentait de plus en plus ce que l'autre lui disait – jusqu'au jour où la voix de l'homme des collines lui éclata à l'intérieur du crâne, comme si elle venait de partout à la fois.

« Il faut que tu te prépares », disait la voix.

L'accolade qui les sépara lui donna une décharge d'énergie plus intense que les précédentes. Chaque cellule de son corps lui donnait l'impression de s'être embrasée.

À la suite de cette rencontre, Julius fut trois semaines sans rêver. Ses journées de travail, par contre, s'allongèrent. Il termina presque sa biographie. Profita de ses soirées pour voir ses amis, écouter de la musique. Retourna une dernière fois aux endroits les plus chargés de souvenirs...

Finalement, il rédigea le dernier chapitre de sa biographie. Le dernier conte, en fait. Car elle avait pris une drôle d'allure, sa biographie. Il lui avait donné la forme d'une série de contes. Pour faire l'histoire d'un imaginaire, quoi de plus adapté que la forme de l'imaginaire ?

Il rédigea le conte d'un seul trait et le laissa bien en vue, sur sa table de travail, pour qu'on le retrouve facilement.

Puis il entra en rêve.

Il rejoignit son jumeau et, à l'instant où leurs mains se touchèrent, il se retrouva très loin dans le monde des collines. Il avait enfin franchi la barrière. Il avait changé de monde. Finalement, il avait compris ce que son double essayait de lui expliquer depuis le début : que ce n'était pas celui qu'il croyait qui rêvait l'autre.

Au même instant, son corps s'évanouit complètement sur son lit, se dissolvant dans une explosion silencieuse de lumière.

Sur la table, le dernier conte attendait sereinement un éventuel lecteur : L'AUTOROUTE DE RÊVE.

La Vie en pointillé

La première fois que je l'ai vue, je l'ai tout de suite reconnue : elle n'était pas là.

Aucun doute, c'était bien elle.

Comme au premier jour, son absence avait la solidité tranchante d'une rupture.

Par la suite, je l'aperçus régulièrement.

Mais toujours à l'endroit où je m'y attendais le moins.

Au moment le plus imprévu.

Sans avertissement, elle se coulait dans les gestes les plus quotidiens, les endroits les plus familiers.

Parfois, des traces de son absence traînaient sur un visage,

au creux d'une voix...

Le lendemain, elle se profilait sous l'ombre d'un sourire, derrière l'esquisse d'un geste.

Avec le temps, elle devint omniprésente...

Et imperceptible.

On aurait dit une fine pellicule qui serait tombée de nulle part pour tout enrober,
tout sceller,
dans une proximité à jamais inaccessible.
Le monde était à un pas.
Toujours à un pas.
Et mes doigts n'atteignaient que cette enveloppe déposée à la surface des choses – une enveloppe d'étrangeté qui s'insinuait partout et s'infiltrait en moi, jusqu'à effacer les traces mêmes de sa présence.

Et, depuis, je la guette.
Vaguement.
Sans y prendre garde.
Un peu comme je respire : avec une pointe d'effort, mais sans malaise.
Engourdi.
De façon pratiquement inconsciente.

Seul le vide de sa voix s'est figé dans ma mémoire.

L'Enfant couvert d'argent

Jamais un enfant n'a été aussi bien entouré.

Autour de moi, des gardes armés veillent en permanence. À l'intérieur comme à l'extérieur de la maison. La cour est protégée par des murs de béton et des détecteurs de mouvement. Des caméras enregistrent tous les déplacements.

Mes parents tiennent beaucoup à moi. Ils ont peur de me perdre.

J'ai 11 ans et j'ai déjà fait l'objet de quatre tentatives d'enlèvement. Des collectionneurs en veulent à ma peau. Parce qu'elle vaut cher.

À tous les jours, un médecin m'examine pour s'assurer de ma santé. On m'amène ensuite à ma séance de visualisation. Je m'assois en tailleur, face au mur, et je calme les pensées qui s'agitent dans ma tête. Je ralentis ma respiration. Puis je regarde le mur.

Il y a un cadre sur le mur. Rien d'autre qu'un cadre. Avec une photo à l'intérieur. Une image agrandie d'un billet de mille dollars.

Je fixe le billet pendant quelques secondes, je ferme les yeux et j'essaie de le reconstituer de mémoire. D'habitude, ce n'est pas trop difficile. Mais ça ne dure pas : au bout de quelques secondes, l'image commence à se dissoudre. Il faut que j'ouvre les yeux pour la retrouver. Dans ses moindres détails. Puis je referme les yeux. Les ouvre. Les referme… Je m'exerce pendant quarante-cinq minutes. Deux fois par jour.

Je suis maintenant capable de retenir l'image beaucoup plus longtemps qu'au début. Avec davantage de précision.

À mesure que j'améliore mes performances, ma peau se régénère plus vite. Mieux, aussi. J'ai actuellement des périodes de trois semaines entre chaque mue.

Quand je suis né, ma peau était parsemée de taches étranges. On aurait dit des dessins. Mais rien de reconnaissable. C'est uniquement vers l'âge de deux ans que les taches ont commencé à prendre forme.

Pendant sa grossesse, ma mère avait lu que les enfants sont influencés par les sentiments de celle qui les porte. Alors, pour me donner un bon départ dans la vie, elle s'est astreinte à penser que je deviendrais riche. Plusieurs fois par jour, elle se concentrait sur moi en me répétant que je ferais beaucoup d'argent ; qu'à mesure que je grandirais, j'en ferais de plus en plus ; que l'argent finirait par me sortir par les pores de la peau… Et elle a été exaucée. Au sens littéral. Les dessins qui apparaissent sur ma peau sont des images de billets de banque. Des images de plus en plus parfaites.

Pendant les premières années, c'étaient des billets de cinq dollars. C'est ce qu'on m'a dit. Moi, je ne m'en souviens pas. Puis les montants ont commencé à augmenter. Dix dollars. Vingt. Cinquante... Je produis maintenant des billets de mille dollars. Quand ils sont parfaitement formés, on les arrache en enlevant le dessus de la peau. En moins de deux jours, ils sèchent complètement. Impossible de les distinguer des vrais.

Vers six ans, j'ai produit mon premier billet utilisable. Mes parents ont alors accepté que je fasse une émission de télévision sur le réseau national... Ils le regrettent encore.

C'est à partir de ce moment-là que les tentatives d'enlèvement ont commencé. Surtout qu'ils ont dit à la télé que les montants des billets allaient en augmentant...

Beaucoup de gens s'intéressent à moi. Il y a ceux qui veulent seulement faire de l'argent, qui pensent que j'en produirai de plus en plus en vieillissant... Il y a aussi des collectionneurs, qui veulent une partie de ma peau pour leur collection. Ils promettent d'en prendre soin, de la faire encadrer...

Mes parents ont hésité à m'arracher les premiers billets. Il y avait déjà des coins qui retroussaient quand ils se sont décidés. Les billets ont suivi sans difficulté, mais ils se sont ensuite déchirés entre leurs doigts. Ils avaient attendu trop longtemps.

Les fois suivantes, ils ont procédé plus rapidement. Un médecin les a aidés à soulever la couche supérieure de la peau sans presque abîmer ce qu'il y a en dessous.

Maintenant, c'est devenu une habitude. Seules de toutes petites gouttes de sang perlent sur la peau neuve. Pendant quelques jours, c'est assez sensible. Mais je mets de la crème. Ça protège. Ça calme la douleur. Avec la crème, ça se supporte bien.

Avant l'âge de sept ans, l'argent se faisait surtout dans mon dos. De temps en temps, il apparaissait quelques billets sur les cuisses et le ventre, mais c'était plutôt rare. Maintenant, il y en a presque partout.

Mes parents m'ont fait essayer toutes sortes de trucs pour améliorer mes performances. L'hypnose, la méditation… C'est la visualisation qui a le mieux fonctionné. Les billets se forment plus vite… C'est sûr, il faut prendre davantage de précautions contre les enlèvements. Parce que ma valeur augmente.

Quand la production des billets a commencé à devenir importante, le gouvernement a envoyé des experts. Ils disaient que je fabriquais de la fausse monnaie. Il a fallu que mon cas aille devant la Cour suprême. Les juges ont donné tort au gouvernement. Ils ont déclaré que, techniquement, je ne fabrique rien puisque je n'utilise pas d'instruments ni de matériaux. Ils ont ajouté que tout ce qui sort du corps humain appartient à celui qui l'a produit. Ou à ceux qui en ont la garde. Qu'ils peuvent en faire ce qu'ils veulent. C'est une question de droits. De liberté.

Mes parents sont très contents. Ils vont pouvoir utiliser tout l'argent que je produis. Mais ils sont quand même inquiets. Parce que j'ai maigri, ces derniers temps. On dirait que la couche de peau qui est enlevée n'est pas remplacée. Que les billets se forment directement sur celle du dessous. Puis sur l'autre dessous... Ils ont peur que je perde mes forces. Que ma peau n'arrive plus à repousser et que je ne puisse plus produire de billets. Juste au moment où je commence à faire des billets de mille...

Les médecins n'ont rien trouvé de spécial dans mon corps. À part ma peau, bien sûr. Ça, ils ne comprennent toujours pas... Probablement à cause de l'adolescence, qu'ils ont dit. Vers douze ans, quand les jeunes grandissent, ils passent souvent par une période où ils sont maigres. Comme s'ils poussaient trop vite. Qu'ils n'arrivaient pas à manger assez pour se rattraper.

Je vais faire des efforts pour manger davantage : mes parents tiennent tellement à moi... Avec tout ce qu'ils ont fait, toutes les années qu'ils ont passées à prendre soin de moi, à me protéger contre les enlèvements, je ne peux pas les laisser tomber. Ils auraient tellement de peine s'ils me perdaient...

Je suis sûr qu'en faisant attention, je vais me sentir mieux.

Fenêtre sur vue

Je suis fatiguée. Très fatiguée. Et je ne peux rien faire. Dès qu'il va entrer, les choses vont suivre leur cours.

« La fenêtre ! Ferme les rideaux ! »

C'est ce qu'il dit chaque fois. Il s'imagine que ça change quelque chose. Que le voile de tulle m'empêche de le voir s'approcher du lit. Soulever les couvertures…

Schlak !

Je sens le choc qui se répercute en vagues décroissantes. Quelques brins de poussière s'éparpillent dans l'air et retombent doucement sur le plancher.

Même si je ne les voyais pas, je les entendrais. J'ai l'habitude. Je peux suivre à l'avance le rythme de sa respiration qui s'accélère, le bruissement des draps. Je peux entendre les protestations, étouffées sous la pression de sa main… Je peux deviner ses râlements de jouissance qui vont culminer dans un ultime soupir, avec le poids de son corps qui va retomber, plonger le lit dans une dernière vague de craquements.

D'ordinaire, c'est l'instant où je regarde de l'autre côté. Qu'il fasse soleil ou qu'il pleuve, c'est moins triste. Avec un minimum d'efforts, je réussis à ne pas entendre. Je me perds au large, dans le vol brisé des oiseaux, la rumeur de la mer, je dérive avec les nuages qui s'effilochent à l'horizon…

Je les ai tellement entendus, ses pleurs. Je peux les reproduire à volonté dans ma mémoire. Sans faire d'effort. À la moindre distraction, ils reviennent d'eux-mêmes. D'abord assourdis. Étouffés par l'oreiller. Puis, quand il est parti, de plus en plus fort, jusqu'à culminer dans des hoquets qui ressuscitent les craquements du lit.

La première fois, je me suis figée. Je ne savais pas quoi faire. Impuissante, j'assistais à cette scène que je devais ensuite revoir des centaines de fois… La progression des bruits et des pleurs me faisait vibrer. De plus en plus intensément. Un peu plus et j'explosais… Je n'avais pas encore appris à me déconnecter. À fuir de l'autre côté de la vitre. Vers le ciel, les nuages… vers les oiseaux…

À l'époque, il faisait vite. Comme s'il se dépêchait. Qu'il avait peur d'être surpris. Depuis, il a appris à se retenir. À durer. Pour mieux profiter d'elle…

Tranquillement, il a commencé à lui parler. À lui dire que c'était son devoir, si elle l'aimait. Et, lorsqu'elle pleurait quand même, il la frappait, la menaçait de ne plus jamais la laisser sortir de sa chambre.

C'est alors que j'ai craqué. Une longue fêlure de haut en bas… Si ce n'avait été que de moi,

j'aurais éclaté en mille miettes. Pour ne plus entendre. Mais je ne savais pas encore comment...
Lui, il s'est mis à l'engueuler : c'était sa faute, elle avait fait exprès pour que je craque. Puis il est parti en claquant la porte.

Quand elle s'est mise à pleurer, je me suis aperçue que je l'entendais de façon déformée. Les vibrations étaient amplifiées et distordues par la brisure de la vitre. L'effet était encore plus déchirant. C'est alors que j'ai appris à me tourner vers l'extérieur. Pour fuir.

Le lendemain, il a changé la vitre. Et il lui a dit de faire attention quand elle ouvrait ou fermait la fenêtre. Que tout ça, c'était de sa faute. Pour se faire pardonner, il faudrait qu'elle soit encore plus gentille avec lui. Qu'elle accepte de faire de nouvelles choses. Même si ça faisait un peu mal. À la longue, elle aimerait ça.

Lorsqu'il s'est approché, elle a tout de suite commencé à pleurer. Avant même qu'il la touche. Alors, il l'a frappée. Jusqu'à ce qu'elle s'arrête. Puis, quand elle a réussi à se retenir, il a pris sa tête dans ses bras. L'a caressée. Lui a dit qu'elle était sa petite fille. Il veillerait toujours sur elle. Elle n'avait pas à avoir peur de lui. C'était seulement lorsqu'elle était désobéissante qu'il la punissait. Même si ça lui faisait encore plus mal à lui qu'à elle, de la punir. Mais il le fallait. C'était son devoir. Il devait l'aider à être une bonne petite fille. Pour protéger leur amour.

Il lui demanda ensuite de faire des excuses. À cause du mal qu'elle lui avait fait en l'obligeant à la punir. Il lui fit répéter les excuses. Jusqu'à ce qu'elle les fasse sur un ton de véritable repentir...

Dès que je l'entendais arriver, je fuyais. Mon attention se tournait vers la plage... le bruit des vagues, les oiseaux... Je me remplissais de ce bruit pour oublier tout le reste. Je laissais mon attention dériver au loin, vers l'endroit où les nuages rejoignent la mer...

Un jour, du côté de la plage, des gens sont venus. Ils ont construit un immense mur devant moi. Avec des fenêtres. Des dizaines de fenêtres. Toutes semblables.

Lorsque j'ai compris ce qu'elles étaient, je n'en suis pas revenue. Moi qui me croyais unique... Et voilà que des dizaines d'autres fenêtres me regardaient.

Ma première réaction en fut une de frustration. Presque de colère. Elles me bouchaient la vue. Je ne pourrais plus fuir vers le large pour échapper aux bruits de la chambre.

Puis je sentis de la curiosité. Une sorte d'attirance, même. S'il existait un peuple des fenêtres, je pouvais essayer de m'y intégrer. Peut-être savaient-elles ce que je devais faire pour échapper au spectacle qui se déroulait chaque jour dans la petite chambre.

Leurs réponses furent vagues. Elles ne semblaient pas intéressées à discuter. De toute façon, elles ne savaient pas de quoi je parlais. Sauf une vieille fenêtre qui avait été recyclée dans cet édifice neuf. Là où elle était auparavant, elle avait déjà vu ce genre de choses. Elle déclara qu'il valait mieux ne pas en parler. Puis elle se retourna vers l'intérieur.

Dès le lendemain, je sus à quoi m'en tenir : aussitôt que les pleurs de la chambre commencèrent à me faire vibrer, toutes les fenêtres se retournèrent vers l'intérieur. Toutes. Comme si je n'existais pas. Elles m'avaient d'ailleurs avertie : elles n'aimaient pas beaucoup l'extérieur. Elles préféraient s'absorber dans le spectacle du dedans.

Elles ne sont jamais revenues…

Et moi, je ne voyais plus le large. J'étais prisonnière. D'un côté, un mur de fenêtres sourdes et aveugles. Repliées sur leur intérieur. De l'autre, les pleurs de la chambre, auxquels je ne pouvais plus échapper.

Il ne me restait qu'une solution : éclater.

Mais ce n'est pas facile. Craquer à un endroit, à un autre, ça peut toujours se faire. Mais éclater complètement… Je décidai quand même de m'y mettre. Chaque fois que j'entendais les pleurs, ou les cris, j'abandonnais toute résistance. Je les laissais résonner en moi, s'amplifier, ébranler toute ma structure.

Du côté des fenêtres, des protestations se firent alors entendre. J'émettais de mauvaises vibrations, disaient-elles. Je dérangeais leur tranquillité. Pourquoi ne pas accepter mon rôle et filtrer ce qui venait de l'intérieur ?…Je décidai de ne pas m'occuper de ce qu'elles disaient. De toute manière, mon seul contact avec elles se résumait au fait qu'elles me bouchaient la vue. Ça ne pouvait guère être pire.

Un jour, je réussis. Ma vitre vola en éclats.

Je goûtai alors un calme extraordinaire. Pour la première fois, je pouvais être seule avec moi-même. En paix. Sans la menace des pleurs et des cris. Sans images tristes pour m'accaparer. Seule avec moi-même. Sans rien. Le nirvana.

Hélas, mon soulagement fut de courte durée. Le lendemain, il posait une nouvelle vitre. Incassable, celle-là. Dès qu'il eut fini de la mettre en place, je compris que je ne pourrais pas la faire éclater. Elle était trop forte.

Curieusement, elle était aussi plus sensible. Les moindres soupirs m'atteignaient avec une acuité accrue. Leurs vibrations se prolongeaient en moi au-delà de tout ce que j'avais connu.

Depuis, je suis le témoin obligé de leurs rencontres. Je les vois. Les entends... Il lui parle de plus en plus. Lui ordonne de ne rien dire. Sous aucun prétexte. Autrement, il l'abandonnera. Elle ne le verra plus jamais. Et elle mourra... Même sa mère ne doit rien savoir. Parce qu'elle est malade. Elle ne comprendrait pas. Ça pourrait la tuer...

Mais je ne désespère pas. Si je ne peux pas faire éclater la vitre, je peux travailler le cadre. Il n'est plus très jeune. Un jour, il pourrait bien finir par céder. Se désagréger...

Récemment, ça s'est calmé. Elle ne pleure presque plus. Elle obéit à tout ce qu'il demande. Sans protester. Sans dire un mot. Sauf lorsqu'elle répète ce qu'il lui demande de dire. D'une voix tranquille. Presque monotone... Une voix qui me rappelle le calme que j'ai ressenti lorsque je n'entendais plus rien.

Et je vis dans mes images. Dans mes souvenirs. Je me rappelle l'océan, le vol des oiseaux. Avec patience, je les reproduis en moi. J'imagine ce qu'il y a au-delà de l'horizon... J'invente des oiseaux dont les cris noient complètement la rumeur de la chambre. J'invente des nuages où je me laisse aspirer jusqu'à disparaître. J'invente… J'invente… Mais, surtout, je me rappelle.

Je me rappelle le temps où j'étais une fenêtre avec vue.

Prisonnier du vide

Ce matin, ils ont enlevé un barreau.

Ça creuse comme un trou dans la fenêtre. C'est encore serré pour passer. Mais c'est un début.

(...)

Depuis trois jours, je n'ai pas crié, pas frappé sur les murs. J'ai mangé tout ce qu'ils m'ont donné. Sans rien salir. J'ai dit merci quand ils sont revenus chercher les plats...

Comme d'habitude, je n'ai rien pu lire dans leurs yeux. Ils doivent être entraînés à ne pas réagir. Ils me regardent comme ils regarderaient n'importe quoi dans la cellule : pas vraiment sans me voir, mais comme si je faisais partie du mobilier. Que j'étais une vitre. Leur regard passe directement à travers moi. Sans me toucher

Pourtant, ils n'ont pas l'air de machines. Mais ils n'ont pas l'air de personnes non plus. Je ne sais jamais à quoi ils pensent. Ou même s'ils pensent.

(...)

Au début, quand j'en avais la chance, je les frappais. Ils se contentaient de se protéger. Comme ils l'auraient fait pour la pluie. Machinalement.

Quand j'ai insisté, quand j'ai frappé plus fort, ils m'ont attaché. Sans me faire mal. Doucement, presque. Mais avec une grande efficacité. Comme on fixe une chose qui menace de tomber. Pour l'empêcher de nuire. De se briser.

Ils m'ont ligoté sur le lit. Sans violence. En employant juste la force nécessaire. J'étais une contrariété : ils ont pris les dispositions qu'il fallait. Jusqu'à ce que je me calme. Qu'ils jugent que je n'étais plus dangereux.

(...)

Quelques jours plus tard, ils ont détaché un bras. Le lendemain, ils ont détaché l'autre. Puis, quand ils ont vu que j'étais redevenu calme, ils ont libéré mes jambes... J'imagine que c'est ce qu'ils se sont dit...

Je n'ai plus jamais essayé de les frapper. J'aime mieux pouvoir marcher. Faire le tour de la cellule... C'est long, de toujours rester sur le lit, les bras ligotés le long du corps... À la fin, je commençais à avoir mal partout. Ils me levaient seulement deux fois par jour. Pour que je fasse mes besoins. Que je puisse manger. Mais sans me détacher les bras. Seulement les jambes.

Ils me faisaient manger à la cuiller. En prenant leur temps. Jamais ils ne criaient après moi.

Une fois, j'ai fait exprès pour étirer le temps. Ils ont attendu autant qu'il le fallait. Sans se fâcher.

Jusqu'à ce que je me décourage, que je finisse mon repas...

Ensuite, ils baissaient mon pantalon. Délicatement, presque. Ils me faisaient asseoir sur la bassine. Attendaient que j'aie terminé. Puis ils m'essuyaient. Me relevaient. Remontaient mon pantalon. Et ils me ramenaient sur le lit. Rattachaient mes jambes...

(...)

Le barreau en moins, c'est peut-être parce qu'ils sont satisfaits de mon comportement. Qu'ils apprécient que je sois plus calme. Si je continue, ils vont peut-être en ôter d'autres...

Je n'ai rien entendu quand ils l'ont enlevé. Ils ont dû en profiter pendant que je dormais. D'habitude, je dors sur le côté, le visage tourné vers le mur. Quand je dors autrement, quand je me couche sur le dos ou que je regarde vers la porte, ça ne s'éteint pas.

Parfois, la nuit, je me retourne en dormant. Quand je me réveille, j'ai la lumière dans les yeux. Il suffit alors que je revienne du bon côté ; la lumière s'éteint.

C'est sûr, il y a des fois où rien ne fonctionne. J'ai beau me coucher n'importe comment, l'ampoule reste allumée. Mais, normalement, je réussis à trouver la bonne position. La lumière se met alors à baisser. Puis elle s'éteint... Je ne comprends pas encore complètement le système. Mais je vais finir par trouver.

(...)

Ce matin, en me réveillant, j'ai tout de suite regardé vers la fenêtre. Pour voir s'ils avaient enlevé un autre barreau… Rien n'avait changé.

Au fond, je n'y croyais pas vraiment. J'espérais un peu, oui, mais j'avais des doutes. Comment savoir ce qu'ils vont faire ? Chaque fois que je pense avoir compris, les règles changent, on dirait. Mais c'est peut-être moi qui ne comprends pas…

J'ai beau guetter leurs visages, ils ne ressentent rien, on dirait… Je serais curieux de les entendre. De connaître leur voix. Mais ils ne parlent pas. Ils écrivent sur le petit tableau. Deux ou trois mots. Jamais de phrases. Pour économiser la craie, probablement. À moins que ce soit à cause de la poussière. Pour que l'air reste propre. Ça se pourrait. Ils font souvent le ménage.

Tout est très propre, dans la cellule. Très blanc. Rien qui traîne. Ils ramassent les déchets tous les jours. Même s'il n'y a pas grand-chose à ramasser. Juste un peu de poussière. Ou des rognures d'ongles, des fois. Quand je recrache les morceaux.

Ça fait ordonné : une chaise, une table, un lit… le strict nécessaire.

Quand je suis fatigué d'être couché ou debout, je peux m'asseoir à la table. Ça repose, changer… S'il y avait des objets sur la table, c'est sûr, ce serait plus intéressant. Je pourrais les examiner, inventer des jeux.

D'un autre côté, avec seulement trois meubles, c'est plus facile de garder chaque chose à sa place. Ça ne demande pas beaucoup d'efforts. Surtout qu'ils sont fixés au plancher. C'est un avantage.

Au début, je me disais qu'ils voulaient se protéger. Qu'ils avaient peur que je me serve des
meubles pour les frapper… Mais j'ai changé
d'idée. Ça doit être parce que ça fait plus propre.
Plus rangé.

(…)

Les premières semaines, je les détestais. J'étais
sûr qu'ils me voulaient du mal. À présent, je ne
sais plus. À leur manière, ils prennent soin de
moi. C'est embêtant de leur en vouloir…

Souvent, je me demande à quoi ils pensent.
J'ai beau les regarder quand ils viennent, leur
poser des questions à l'improviste, ils ne répondent
pas. Parfois, ils tournent la tête dans ma direction.
Puis ils continuent ce qu'ils ont à faire.

(…)

Deux autres barreaux ont disparu. Je dois avoir
raison : plus je suis tranquille, plus ils en enlèvent…
Maintenant je pourrais passer par l'ouverture, je
pense. Mais j'hésite. Si jamais je reste coincé…

Peut-être, aussi, qu'ils m'attendent de l'autre
côté. Que c'est pour me tester. Voir si je suis vraiment guéri…

Vaut mieux attendre. Continuer à ne rien faire.

(…)

C'est éclairé, de l'autre côté de la fenêtre. Une
drôle de lumière. Difficile de voir ce qu'il y a.

On ne dirait pas que c'est dehors. Mais on ne sait jamais… Je me demande si c'est dangereux…

J'ai beau écouter, je n'entends rien. Même quand ils viennent. Ils ont des souliers qui ne font pas de bruit… La porte s'ouvre, ils apparaissent comme s'ils surgissaient de nulle part, regardent dans ma direction, font quelques signes pour expliquer ce qu'ils veulent…

Au début, surtout, ils faisaient des signes. Ils écrivaient sur le tableau. Maintenant, ils n'ont plus besoin de rien faire, presque. Je suis habitué. Je devine tout de suite ce qu'il faut que je fasse…

Enfin, la plupart du temps.

Parce que, parfois, quand je pense qu'ils viennent pour le ménage, ils se contentent de s'asseoir. De me regarder. Comme s'ils m'examinaient. Mais sans réagir. Leur visage ne bouge pas. Seuls leurs yeux sont fixés sur moi. La plupart du temps.

Il leur arrive aussi de regarder droit devant eux, sans bouger la tête, sans s'occuper de ce que je fais… Quand ils sont comme ça, j'ai l'impression que je pourrais les frapper et qu'ils ne réagiraient pas… Bien sûr, je n'ai jamais osé. C'est peut-être un autre test.

Souvent, ils font juste entrer. Puis ils repartent. Comme s'ils voulaient vérifier que je suis toujours là. Que je ne fais rien de répréhensible. Et quand ils ont vu ce qu'ils voulaient voir, ils disparaissent. Sans bruit…

Je n'ai jamais su où ils vont quand ils ne sont pas avec moi. Des fois, je les imagine, assis dans une grande salle, en rangées, tous en train de regarder fixement devant eux...

D'autre fois... d'autre fois, je les vois dans ma tête enlever leurs uniformes blancs, mettre des vêtements de couleur et partir se promener ailleurs... Dans des endroits que j'ai de la difficulté à imaginer.

Il arrive aussi que je les voie entrer dans d'autres cellules. Des centaines d'autres cellules. Et faire le tour. Une après l'autre. Comme s'ils cherchaient quelque chose... Mais ça me surprendrait qu'il y ait d'autres cellules. Je n'ai jamais rien entendu.

(...)

Ces derniers temps, ils viennent moins souvent, j'ai l'impression. Peut-être parce que je me suis calmé. Ou que je ne les intéresse plus...

Si jamais ils se désintéressent de moi, je me demande ce qui va arriver. Vont-ils me laisser sortir ?... Peut-être qu'ils vont seulement arrêter de venir. Qu'ils vont m'oublier ici.

Pour le savoir, j'aurais juste à recommencer les crises. Mais c'est risqué. Je trouverais ça encore plus difficile, maintenant, s'ils remettaient les barreaux. Je me suis habitué. Je regarde le trou que ça fait dans la fenêtre et je me dis que c'est un début de sortie.

(...)

Quand je suis fatigué de regarder la fenêtre, de guetter la porte pour voir si elle va s'ouvrir, je fixe mes yeux sur le plafond… J'aime bien le plafond. Des carrés blancs sur un fond blanc. Le fond est un peu moins pâle… Je laisse mes yeux suivre les lignes du quadrillé. Ça donne l'impression de mettre les choses en place. Délicatement. Le plafond m'aspire. Assez vite, je ne pense plus à rien. Je me sens chez moi. Dans ma tête, il doit y avoir des quadrillés blancs…

Je me demande ce qu'il y a au-dessus. D'autres étages ?… Je n'ai jamais entendu de bruit. Mais ça ne veut rien dire. Ils ont pu insonoriser. Peut-être que toute la cellule est isolée. Que la fenêtre donne seulement sur une autre cellule. Isolée elle aussi…

Chaque fois que j'essaie de comprendre, je me perds. C'est comme le quadrillé du plafond. Des lignes, qui mènent à des lignes, qui mènent à des lignes… Il suffit de les suivre assez longtemps pour se retrouver au point de départ.

(…)

Il manque un autre barreau. Le bruit m'a réveillé. Il a dû tomber par terre, de l'autre côté du mur.

J'ai d'abord pensé que la fenêtre se défaisait. Mais ça ne se peut pas. Ils surveillent tout. Ils ont tout prévu… Je vais faire comme si de rien n'était. Si je m'intéresse trop à la fenêtre, ils pourraient croire que je pense à m'échapper… Je garde les yeux fixés au plafond. Malgré mon envie d'examiner la fenêtre, je m'absorbe dans le quadrillé blanc…

Parfois, j'oublie : je jette un bref coup d'œil. Puis je reviens au quadrillé. Ce n'est pas le temps de faire une gaffe. Il reste un seul barreau…

(...)

Curieux : ils ne sont pas encore venus, aujour-
d'hui. C'est rare qu'ils sautent un repas. Surtout
le matin. C'est déjà arrivé une fois ou deux, au
début, mais jamais par la suite. Est-ce qu'ils pré-
parent quelque chose ? Un autre test ?... Peut-être
qu'ils veulent savoir comment je me comporte
quand je pense qu'ils ne sont pas là.

(...)

Je me suis endormi en regardant le plafond.
C'est encore un bruit qui m'a réveillé. Le dernier
barreau.
Cette fois, c'est un test. J'en suis sûr. Autrement,
ça n'aurait pas de sens. Mais qu'est-ce qu'ils
veulent ? Ils doivent le savoir, que je ne vais pas
en profiter pour m'enfuir...

(...)

J'ai faim. J'ai dû dormir pendant un certain
temps. Ils ont dû venir pendant que je dormais. Il
n'y a aucune trace de leur passage, mais ça ne
veut rien dire... Peut-être qu'ils n'ont pas apporté
de repas pour ne pas me réveiller... À moins que
je me fasse des idées. C'est facile de s'imaginer
des choses...

(...)

La porte vient d'ouvrir. Elle s'est ouverte juste un peu. On dirait qu'il n'y a personne…

Elle se referme…

Elle s'ouvre de nouveau. Un peu plus grand, cette fois… Toujours personne.

Mais je les connais. Ils ne m'auront pas.

(…)

La porte est grande ouverte. Savoir que ce n'est pas un test… Mais si c'en est un… Ce serait bête de tout perdre juste au moment où ils commencent à me faire confiance, où ils relâchent les contrôles…

Je suis certain qu'ils sont là, tout près, de l'autre côté du mur. Je les imagine. Ils guettent ce que je vais faire… Autant regarder au plafond. Les lignes, les carrés…

J'oublie tout.

(…)

Je me suis encore endormi. Cette fois, c'est un bruit beaucoup plus fort qui m'a réveillé. Tout le mur autour de la porte s'est écroulé.

Ça donne sur une salle immense. La lumière ne se rend pas jusqu'au fond… Je n'aurais jamais pensé qu'ils iraient aussi loin. Il faut vraiment qu'ils soient sûrs d'eux !… Je suis mieux de rester couché sur le lit. De ne même pas me lever sur les coudes.

Le plus simple, c'est de dormir. Je vais me retourner et la lumière va s'éteindre. Je ne verrai

plus dehors. Je serai moins tenté d'aller voir...
Quand ils vont être satisfaits, qu'ils vont voir que
je suis vraiment devenu comme ils voulaient, ils
vont venir me chercher.

(...)

La lumière ne s'est pas éteinte... J'ai faim. De
plus en plus. Je suis fatigué, aussi... Savoir où ils
sont, par quel moyen ils me surveillent...

(...)

Le vacarme a été pire que les fois précédentes.
J'ai encore le cœur qui débat... Tous les murs se
sont écroulés. Il ne reste que le plafond... Avec la
poussière dans l'air. La lumière au-dessus du
lit...

On dirait une salle immense. Mais je ne vois
pas les murs. La lumière n'est pas assez forte
pour se rendre jusqu'au fond. D'aucun des côtés.

Je n'ose pas trop regarder. C'est sûrement le
test final... Il faut que je tienne le coup...

À moins qu'ils soient partis... Mais ça ne se
peut pas. Ce serait trop effrayant... Ils doivent
m'observer, du fond de la salle. Sans que je les
voie...

Ça doit être ça, leur test. Voir si je suis capable
de résister. Même quand il n'y a plus de murs.
Plus rien qui me retienne...

(...)

Je suis seul. Sans rien. Au milieu du vide… Avec la lumière au-dessus du lit.

(…)

J'ai faim. Ça fait mal dans mon ventre… J'ai de la difficulté à garder les yeux au plafond… Mais il ne faut pas que je bouge.

C'est sûr que ça achève. Ce serait affreux de tout perdre juste à la fin… Si je tiens assez longtemps, ils vont venir me chercher. Ils ne reconstruiront pas la cellule autour de moi… J'en suis sûr.

Ils ne peuvent pas faire ça sans raison.

Il faut que je tienne.

Il faut.

La Dernière Lettre
du montreur de mots

Vous êtes entrée dans ma vie comme un éclair de douceur. Pendant un instant, vous avez fait briller tout ce que j'étais d'un éclat extrême. J'ai fait un geste vers vous. Je vous ai presque touchée. Puis ce furent à nouveau les ténèbres. Vous vous êtes dissoute entre mes doigts.

La douleur de votre disparition a suivi. Aussi inattendue. Aussi totale. Un moment, la vie avait paru possible. Une odeur de cendres a tout noyé.

Depuis, mes yeux s'accrochent à la texture de l'obscurité, essayant de retrouver dans le noir la trace de votre apparition. Et le jour, dans la lumière banalisée qui s'étale sur les mécaniques de l'habitude, j'essaie de retourner aux mots. Aux messagers menteurs de la présence. Toujours décevants. Qui consolent du pire par le presque moins mauvais.

Voué aux mots. Aux jeux du je.

Je n'aime pas dire je. C'est un mot froid. Qui fige les dents. Comme dans « je gèle »... Une expiration qui ne finit pas. Qui s'essouffle. Jusqu'à devenir imperceptible. Un mourant qui n'a même pas la force de laisser aller son dernier soupir. Qui n'y arrive pas.

Je…

Toute ma vie a été un travail pour ne pas avoir à le dire. Une dissimulation derrière les mots que je montrais. Quelqu'un s'approchait, je lui montrais des mots. Quelqu'un me parlait, je lui en montrais d'autres. Quelqu'un me touchait, c'était un déluge de mots.

On est bien dans les mots. Ils font voyager les yeux. Attirent les rythmes intérieurs. L'agitation se calme. Se dépose.

Et tout ce travail s'est transformé malgré moi en un immense Je. Un Je qui m'échappe. Qui vit de lui-même. Ne peut plus se cacher. Et attire la foudre.

Pourtant, je ne parle plus. Depuis des années, je traîne avec moi des petits papiers. Mes poches sont pleines. Tous les messages usuels. Avec les gens, je montre les papiers. Ça réduit les échanges à l'essentiel. Ne crée pas de faux espoirs.

Habituellement, les conversations s'arrêtent après trois papiers. L'impatience de mes interlocuteurs est ma meilleure protection. Ils regardent ce que j'ai à leur montrer, puis ils passent à autre chose.

Heureusement.

Car lorsque les gens me parlent, je ressens l'impact de leurs mots sur mon corps. Certains percutent contre ma peau. Laissent des marques. Comme des ecchymoses. Surtout quand ils parlent fort. D'autres me pénètrent comme des aiguilles, me transpercent jusqu'aux os. Leur brûlure prend un certain temps à s'éteindre. D'autres, aussi, se répercutent un peu partout en moi, créant une espèce d'agitation désordonnée qui ressemble à de la terreur : ma respiration se bloque, mes muscles se durcissent, mon cœur s'emballe... C'est pour ça que je leur tends mes petits papiers. Pour les arrêter de parler. Les empêcher de me faire mal avec leurs mots.

Quand les petits papiers ne suffisent pas, il y a le crayon : je peux rajouter des mots sur les messages. Mais je préfère m'en tenir au texte imprimé. Ça fait plus net. Plus aseptique. Les gens sont moins tentés d'insister. De s'immiscer.

J'ai toujours eu à me défendre contre les mots qui voulaient entrer dans mon corps. Prendre la place des miens. Quand j'étais enfant, ils me mettaient sans arrêt des mots dans la bouche. Avec la leur.

Les lèvres bien appuyées contre les miennes, pour éviter les fuites d'air, ils parlaient à l'intérieur de ma bouche. Pour que j'enregistre les vibrations. Que je me souvienne. Que plus tard, je les reproduise correctement.

Ils appelaient ça me donner une voix. Tous les jours, je devais aller les embrasser pour qu'ils parlent dans ma bouche.

Ils ont tout prévu. Des mots pour toutes les occasions. Pour que je sache quoi dire. Que j'aie un je adéquat. À la hauteur de leurs attentes.

Mais je n'ai jamais été à l'aise pour parler. Les rares mots que je prononce me font toujours frissonner intérieurement. On dirait la sensation d'une chose étrangère dans laquelle je serais en train de mordre par accident. Quelque chose de vaguement mou et de sale. Quand on utilise un mot, on ne sait jamais dans quelle bouche il a traîné.

Souvent, encore, leurs anciens mots me remontent dans la gorge. Comme s'ils surgissaient de l'intérieur de moi. Qu'il y en avait une réserve, quelque part. Qu'ils cherchaient à sortir. S'accrochant dans ma gorge qui se contracte à leur passage. Bloquant ma respiration…

Pour les cas plus difficiles, pour les gens que je n'arrive pas à éloigner avec les papiers, que je ne parviens pas à décourager de me parler, j'ai fabriqué des recueils de mots. Je les ai mis dans des livres. De cette façon, ils ont l'impression que je leur parle, que je leur dis qui je suis, sans avoir à m'exposer à leurs mots. Ils emportent chez eux les traces des miens et je peux demeurer seul, à l'abri des leurs.

Je me croyais protégé…

Puis votre présence a surgi. Sans mots. Sans presque le temps de m'en apercevoir. De penser à faire quelque chose pour m'y habituer. Amoindrir le choc.

Dans la nuit, il ne sert à rien de montrer ses papiers. Même si on a mis des années à les mettre au point. À raffiner le texte. Au mieux, ils brûlent eux aussi.

Une fois l'éclair disparu, il n'est resté que le vide. À l'intérieur. À l'extérieur. Un creux où le silence s'est installé.

Un creux où j'attends. Sans mots pour me protéger. Sans rien qui me sépare du vide. Étonné d'être vivant. D'avoir troqué à mon insu la douleur de ne pas être pour celle d'être exposé.

L'infinie douceur de votre présence a désagrégé toutes les digues. Toutes les défenses. Les mots de papier ont disparu. Je reste seul. Avec, pour unique appui, la mémoire de l'instant fulgurant où votre tendresse a palpité contre moi.

Vous partie, il ne reste de moi que la vie, la vie à vif, anxieuse de voir ce qui peut arriver. Inquiète de savoir s'il peut encore arriver quelque chose.

Vous m'avez redonné vie. Une maladie mortelle dont je vais tenter de mourir le plus lentement possible... en essayant d'apprivoiser ces mots en creux que me répète sans cesse votre absence.

Le Murmure étouffé

« *Faut pas pleurer* », *elle disait. Puis elle est partie.*

La Petite Fille qui mourait d'ennui

Mélanie prit très tôt l'habitude de mourir. À l'âge de huit ans, cela lui arrivait plusieurs fois par semaine.

Le jour de sa première mort, l'enfant reposait sur le divan du salon, l'air très calme, comme si le sommeil avait dissous toute trace de tension sur son visage. Elle habituellement si agitée, si débordante de vie…

Machinalement, sa mère lui saisit le bras pour l'éveiller. Il était froid. Presque rigide.

Elle le laissa retomber sur le coussin avec un cri étouffé.

L'enfant ouvrit lentement les yeux. Pendant plusieurs secondes, son regard demeura fixé sur le visage de sa mère. Immobile. Comme si elle ne la voyait pas. Puis elle cligna des yeux. Remua un peu la tête… Quelques minutes plus tard, elle commença à bouger les bras, les jambes.

C'est en pleurant que sa mère la prit dans ses bras pour la serrer contre elle. Même si le corps de l'enfant n'avait pas encore retrouvé tout son tonus, qu'elle devait lui soutenir le dos avec la main.

« Tu m'as fait une de ces peurs ! dit-elle. Ne recommence jamais ça ! »

Encore ankylosée, l'enfant promit de ne pas recommencer. Elle ne comprenait pas très bien de quoi il s'agissait, mais sa mère avait l'air d'y tenir beaucoup et elle ne voulait pas lui faire de peine. Sa pauvre mère malade, qui avait déjà de la difficulté à se déplacer…

Pourtant, quelques jours plus tard, on retrouvait de nouveau l'enfant prostrée, assise par terre, le dos appuyé contre le mur, le visage vide d'expression, le corps presque froid… Il fallut un peu plus de temps, cette fois, pour la ranimer.

Psychologue et neurologue furent appelés à la rescousse. « On dirait qu'elle n'est pas là », expliqua la mère. « Quand je la touche, c'est comme s'il n'y avait plus personne. Qu'elle était… »

Elle n'arrivait pas prononcer le mot. « Qu'elle était… absente », finit-elle par dire. Et c'est de cette façon que les parents firent désormais référence aux crises de leur enfant : ils parlaient de ses « absences ».

Mélanie supporta tous les tests avec bonne volonté. Avec intérêt, même. Curiosité. Mais les médecins ne purent rien découvrir de particulier. Au point qu'ils se demandèrent s'il ne s'agissait pas de simulation. Elle semblait en parfaite santé.

Sauf que les crises continuèrent de se produire. De plus en plus longues. De plus en plus convaincantes.

À son réveil, elle ne se souvenait jamais de rien. Simplement, elle se sentait un peu oppressée. Triste, aussi.

Toutes les recettes de l'éducation furent essayées : on eut beau l'entourer de soins, lui promettre les plus beaux cadeaux, la punir… rien n'y fit. Aucune stratégie n'avait d'effet durable. Chaque nouvelle intervention des parents suspendait les crises pendant un jour ou deux pour ensuite perdre son efficacité.

À sa façon, Mélanie était pourtant une enfant modèle. Plus que raisonnable, même. À mesure que la maladie de sa mère s'aggravait, elle prenait la relève, s'occupant de son frère, de son père, entretenant la maison. Toutefois, malgré son évidente bonne volonté, elle n'avait aucun contrôle sur ses crises.

Quand cela se produisait, les parents hésitaient toujours un peu à la « réveiller ». Le contact leur laissait l'impression de toucher à une morte. Mais ils n'avaient pas le choix. Seules les manipulations physiques semblaient avoir la capacité de la ramener à elle. Comme lorsqu'une personne est engourdie par le froid et qu'il faut la frictionner pour permettre à la circulation de se rétablir.

En désespoir de cause, les parents acceptèrent que leur fille retourne à l'hôpital. Qu'elle soit placée sous observation.

Les premiers jours, rien ne se produisit. Mélanie semblait totalement absorbée par l'observation des gens qui allaient et venaient autour d'elle, des instruments auxquels elle était branchée, des jeux qu'on lui avait apportés pour la distraire. Elle semblait plus vivante que jamais… Quelques jours plus tard, on put toutefois observer, sur les différents appareils, le déroulement complet du processus.

Elle reposait sur son lit lorsque son visage se vida brusquement de toute expression et prit une couleur blanchâtre. Son regard sembla s'éteindre. Ses yeux devinrent fixes puis se fermèrent. Le rythme de sa respiration et de ses battements cardiaques se mit à décroître. Les courbes de l'encéphalogramme s'aplatirent. L'activité cérébrale se réduisit aux régions les plus anciennes du cerveau, celles qui ont pour charge d'assurer la survie de l'organisme. La circulation sanguine se concentra dans les organes vitaux.

Extérieurement, elle paraissait presque morte. Un phénomène analogue à ce qui se passe chez les plongeurs en apnée quand ils descendent à de grandes profondeurs. Mais en plus radical. Et sans cause apparente.

Une fois ranimée, elle expliqua, en réponse aux questions des médecins, qu'elle n'avait mal nulle part. Elle se sentait seulement triste. Et elle avait la gorge sèche : elle avait même de la difficulté à avaler son peu de salive… Pour le reste, elle ne se rappelait rien.

Les médecins poursuivirent leurs observations pendant quelques semaines. En vain. Aucune analyse ne permit de comprendre ce qui se passait en elle. On réussit toutefois à établir une corrélation entre l'intérêt qu'elle portait à son environnement et sa propension à… s'absenter.

« Il faut lui assurer un niveau suffisant de stimulation », conseillèrent les médecins aux parents. « Lorsqu'elle n'est pas accaparée par les événements, son attention se replie sur les zones les plus profondes de la conscience. On dirait qu'elle n'arrive pas à s'enraciner dans la réalité extérieure de façon durable, qu'elle retombe à l'intérieur d'elle-même. »

En vieillissant, Mélanie apprit à se donner à elle-même le niveau de stimulation dont elle avait besoin pour demeurer « en vie ». Piano, danse, dessin, photo… tout l'intéressait. Et, dès qu'elle sentait son intérêt baisser, elle se dépêchait de changer de lieu, d'activité… Au sens littéral, l'ennui lui était mortel.

Malgré les inquiétudes de ses parents, elle ne connut jamais de crise pendant son sommeil. Sans doute parce que son cerveau avait une activité nocturne nettement supérieure à la moyenne. Elle rêvait beaucoup plus que la majorité des gens. Même pendant la nuit, elle continuait de se stimuler pour demeurer en vie.

À quinze ans, son premier grand amour la mit à l'abri des crises pendant plus de huit mois. La peine qu'elle ressentit lors de la rupture l'accapara pendant deux autres mois. Puis elle se mit à se désintéresser de tout, y compris de sa peine. Et elle recommença à s'absenter…

À l'issue d'une de ses absences, elle ramena pour la première fois un souvenir de ce qu'elle avait vécu. Elle s'était retrouvée, stupéfaite, au seuil d'un monde de couleur ambre. La couleur formait un mur de lumière devant elle. Au-delà, une plaine désertique s'étendait à perte de vue ; tout y était immobile, figé, et baignait dans cette couleur qui semblait tout recouvrir d'une sorte d'enduit brillant. On aurait dit un univers surpris par un cataclysme, par une catastrophe mystérieuse qui aurait tout momifié, tout pétrifié instantanément.

Elle avait allongé le bras.

Au moment où ses doigts pénétraient dans le mur de lumière, elle avait senti un engourdissement les envahir, comme s'ils venaient d'être subitement congelés. La brusquerie du geste avec lequel elle avait retiré la main l'avait ramenée dans la réalité…

Ses doigts ne regagnèrent jamais leur sensibilité. Aucune lésion ne fut découverte : ils étaient simplement devenus insensibles.

À partir de ce jour, la panique la jeta dans une activité frénétique. Elle était terrifiée à l'idée que l'ennui puisse à tout moment la replonger malgré elle dans ce monde de mort lumineuse. Si jamais elle n'avait pas le réflexe de s'arrêter à temps…

Sa vie devint anarchique.

Elle était toujours en retard. Ses rendez-vous se bousculaient. Autour d'elle, les objets se mirent à se briser. Sa voiture n'était jamais vraiment réparée et menaçait à tout moment de tomber en panne. Une foule de petites dettes s'accumulèrent… Tout, dans sa vie, devint préoccupation, cause de souci.

La nuit, elle fréquentait les bars. Ses amis se multipliaient dans tous les milieux. S'arrachant de l'un pour aller en voir un deuxième, téléphonant à un troisième pour reporter un rendez-vous, elle n'avait jamais un instant à elle. Et jamais elle ne se couchait avant de tomber d'épuisement.

Le jour, le soir, elle courait d'un emploi à l'autre. Des emplois émiettés. Quelques heures par-ci, une soirée par-là, une fin de semaine ailleurs. Des emplois où elle était en contact avec le public. Où elle devait sans cesse interagir. Où le regard des autres l'ancrait dans la réalité.

Et, entre les emplois : des commissions en retard, un lavage jamais achevé, un ménage qu'il aurait bien fallu entreprendre... Les seules pauses qu'elle s'accordait, c'était à la salle de billard. Le jeu accaparait totalement son attention. Son habileté, son acharnement à ne pas perdre, sa concentration faisaient en sorte qu'elle gagnait souvent. Dans un univers où tout semblait lui échapper, ses performances lui procuraient un sentiment de maîtrise qui l'aidait à conserver sa cohérence.

Même ses relations avec sa famille et ses proches devinrent tendues. Elle n'aimait plus que ce qui lui résistait. La provoquait. L'obligeant sans cesse à réagir. À exploser... À se sentir vivante.

L'ennui et le calme étaient pour elle synonymes. Des états également menaçants. Également susceptibles de la faire basculer à l'intérieur d'elle, où elle avait peur de se noyer. De disparaître.

Ses préoccupations la tenaient en vie.

Mais sa santé se mit à se détériorer. Elle avait sans cesse de petits bobos, des démangeaisons. Des irritations qui la contraignaient à revenir dans le présent. À ramener son attention vers son corps.

Sa condition générale périclitait.

Dans un sursaut d'énergie, elle décida d'accepter d'entrer en elle. D'affronter l'univers ambré.

Elle se retrouva presque immédiatement devant le mur de lumière. Au lieu d'avancer la main, de le toucher, elle se contenta de l'observer. Avec la même concentration, le même acharnement qu'au billard. En se disant qu'il n'avait aucun pouvoir sur elle.

Après quelques instants, elle sentit un apaisement, une sorte de force tranquille et joyeuse se répandre dans son corps. « Je ne me laisserai jamais engluer par ça », se surprit-elle à penser… Puis elle décida de remonter à la surface.

Elle s'y retrouva presque sans transition. À peine eut-elle le sentiment d'avoir traversé un tunnel à toute vitesse.

À son réveil, il n'y avait personne à ses côtés qui aurait pu la ranimer : elle était vraiment revenue par ses propres moyens, au moment où elle l'avait décidé. Le sentiment de joie intérieure qu'elle avait acquis s'intensifia. Elle se sentait plus calme, aussi. À l'intérieur d'elle, quelque chose d'important avait changé.

L'expérience lui avait paru durer quelques minutes. Pourtant, quand elle regarda sa montre, elle constata que plus de deux heures s'étaient écoulées.

À partir de ce moment, elle retourna tous les jours devant le monde ambré. À chaque voyage, elle se répétait, avec de plus en plus de détermination, qu'elle ne se laisserait jamais recouvrir par ce vernis de mort brillante.

Quand elle revenait, elle était plus sereine. Plus assurée. Comme si elle avait consolidé un peu plus son choix de ne pas laisser son corps s'engourdir.

Puis, un matin, elle décida que le temps était venu : il lui fallait mettre sa détermination à l'épreuve. Sans hésiter, elle se jeta à travers le mur de lumière. Elle y demeura immobile quelques secondes, puis revint sur ses pas… Aucune partie de son corps n'était engourdie.

Elle répéta l'expérience.

Chaque fois, elle y demeurait un peu plus longtemps. Et, au retour, sa joie était plus intense. Elle la sentait se répandre dans son corps, comme une vague, jusqu'à provoquer une sorte de vibration doucement excitante.

Un jour, alors qu'elle se promenait dans le monde ambré, elle constata que la couleur avait pâli. À certains endroits, un peu de verdure était apparue.

Cet événement marqua une étape décisive, tant dans ses voyages intérieurs que dans la réalité. Sans qu'elle fasse d'efforts spéciaux, sa vie se simplifia, acquit de la cohérence. Les choses en suspens se réglèrent. Sa santé s'améliora. Ses horaires devinrent plus aérés.

Elle avait davantage de temps pour s'occuper d'elle.

Lorsqu'elle n'avait rien de particulier à faire, elle n'éprouvait aucune difficulté à maintenir son attention fixée sur le monde extérieur. Elle n'exigeait plus des choses qu'elles suscitent des réactions extrêmes pour s'y intéresser. Le moindre objet, le plus petit événement était désormais chargé d'une présence, d'une richesse qui lui semblait inépuisable.

Même le bout de ses doigts, toujours insensible, ne la préoccupait plus. Elle les considérait presque avec une certaine affection : depuis que son monde intérieur avait complètement repris vie, qu'il était entièrement couvert de végétation, c'était le dernier souvenir qu'il lui restait de l'ancienne lumière ambrée.

À vrai dire, une seule chose la tracassait encore un peu : comment pouvait-elle faire partager aux autres l'état de bien-être qu'elle ressentait maintenant?

C'est de façon tout à fait fortuite qu'elle découvrit une solution. Un jour qu'elle frictionnait le dos de sa mère, celle-ci lui dit : « Frotte encore à l'endroit que tu viens de toucher. Ça fait du bien. »

Mélanie s'exécuta.

« Pas comme ça », reprit sa mère. « Comme tantôt ».

Mélanie se servit alors de ses doigts insensibilisés pour appuyer sur les muscles, le long de la colonne vertébrale.

« C'est ça... »

Dans les semaines qui suivirent, elle répéta l'expérience avec deux ou trois personnes de son entourage. Toutes furent d'accord pour dire qu'elles avaient ressenti un sentiment de bien-être inhabituel. Un sentiment qui se prolongeait de quelques heures à plusieurs jours selon les personnes. Elles auraient été embêtées de décrire cette curieuse sensation, mais elles allaient mieux. De cela, elles étaient certaines. Elles se sentaient... plus vivantes.

Progressivement, Mélanie comprit le véritable effet qu'elle avait sur sa mère. Et sur les autres. Le contact de ses doigts les aidait à devenir plus sereins, à se détacher de leur douleur. Comme si elle leur communiquait un peu de ce détachement total dans lequel elle avait failli sombrer : juste ce qu'il fallait pour atténuer les douleurs et les soucis qui les empêchaient de vivre. On se mit à la dire guérisseuse.

Pourtant, elle ne comprenait toujours pas pour quelle raison les gens prétendaient se sentir mieux après qu'elle les ait touchés…

Lorsque des étrangers vinrent lui demander d'être reçus en consultation, elle accepta à quelques reprises. Mais en refusant de se faire payer. Par curiosité. Pour voir si ça fonctionnait vraiment. Avec l'espoir secret que ça détruirait le mythe. Qu'elle retrouverait sa tranquillité.

Quand il fut évident que son toucher produisait le même effet chez des gens qu'elle ne connaissait pas, elle interrompit toute activité et retourna à son piano. À la photo. Pour se retrouver.

Chaque jour, elle passait plusieurs heures dans son monde intérieur. Maintenant qu'il avait repris vie, il continuait de se développer. De se repeupler. C'était un monde de vie sauvage, souvent effrayant, mais d'une extraordinaire beauté.

Quelques mois plus tard, elle donnait un concert. Pendant qu'elle jouait, ses photographies les plus récentes étaient projetées sur les murs. Des œuvres qui illustraient toutes les misères du monde. Sur une musique qui apaisait les angoisses les plus aiguës.

Les gens affluèrent.

Tous les ans, pendant quelques semaines, elle revenait à la scène pour une série de représentations. Puis elle retournait à elle-même. À la musique qu'elle s'inventait. Aux images intérieures qu'elle avait appris à affronter… Des images inquiétantes qu'elle apprivoisait en se promenant sur la rue avec une caméra. Pour les retrouver dans la réalité. Et pour s'en libérer.

Il y avait bien là une certaine forme de thérapie. Autant pour elle que pour les autres. Force lui était de l'admettre. Même si elle ne touchait désormais les gens que de façon indirecte. Par son art. C'était un contact plus subtil. Plus libérateur. Qui atténuait les douleurs mises au jour, mais sans exiger un contact physique avec les autres.

Le choix qu'elle avait fait de vivre, elle aidait maintenant d'autres à le faire.

En libérant les douleurs incrustées dans la partie dormante de leur vie, en amenant ces souffrances à la surface dans une atmosphère apaisante, les spectacles rendaient les gens plus ouverts, plus disponibles à eux-mêmes.

Il n'en tenait alors plus qu'à eux de redonner vie au monde pétrifié qui les habitait.

L'Enfant bosselé

À sa naissance, Hugo ressemblait à une tortue. Il avait le cou trapu, le teint vaguement verdâtre et des membres anormalement courts qui se repliaient sur son corps à la moindre alerte.

Un oncle vit tout de suite la ressemblance et ne put s'empêcher d'en faire la remarque. Le surnom lui resta. Ses parents l'appelèrent, avec une affection non dénuée d'humour, « ma petite tortue »... Ils n'avaient encore aucune idée des problèmes que peut réserver l'éducation d'une tortue !

Pour des parents, les premiers bobos d'un enfant, surtout lorsqu'il s'agit de l'aîné, font souvent naître les inquiétudes les plus extravagantes. Avec Hugo, l'expérience fut particulièrement pénible. Il semblait attirer les coups. Ou plutôt, il n'arrivait pas à se protéger correctement : tout ce qui menaçait de le frapper, d'une façon ou d'une autre, ou simplement de tomber sur lui, trouvait le moyen de l'atteindre. Même les objets inanimés réussissaient à se trouver exactement à l'endroit qu'il fallait pour qu'il s'y heurte.

On aurait dit qu'il réagissait toujours en retard. Comme s'il était ailleurs. Que le temps dont il avait besoin pour revenir à la réalité présente l'empêchait d'agir assez rapidement.

À cause de cette lenteur, les parents se mirent à craindre que leur fils soit attardé. Désormais, lorsqu'ils l'appelaient « ma petite tortue », ce n'était pas sans un certain malaise.

Mais là n'était pas le plus inquiétant : non seulement Hugo était-il souvent blessé, mais ses blessures prenaient une forme totalement inédite. Ainsi, lorsqu'il se cognait le front sur le coin d'une table, au lieu de lui pousser une bosse, il se formait un creux. Plutôt que d'enfler, la partie blessée se rétractait.

Rapidement, ses multiples mésaventures laissèrent sur son corps une série de traces en creux dont la profondeur variable traduisait la force des différents impacts. Sa peau ressemblait à une plaque de tôle qu'un plaisantin se serait amusé à marteler.

Cette bizarrerie mise à part, sa santé semblait normale. Les lésions cicatrisaient bien, les ecchymoses disparaissaient au bout de cinq à six jours… Il n'y avait que cette propension étrange des zones blessées à s'enfoncer sous l'impact. Précisément comme une tortue qui se rétracte devant le danger.

Psychologiquement, un phénomène analogue se produisit : à mesure qu'il se heurtait aux inévitables exigences de ses parents et du reste de la société, ses préférences et ses goûts se firent de plus en plus discrets. Il évitait toute confrontation, se moulant autour des pensées et des désirs des autres.

À l'école, son visage cabossé lui valut d'abord les moqueries de ses camarades. Il réagit de façon typique : en se dérobant. Non seulement acceptait-il les moqueries, mais il les reprenait à son compte, les améliorait… Très vite, il devint le plus populaire de son groupe. Il était beaucoup plus que l'équivalent du bon gros qui fait rire les autres ; il était celui avec qui tout le monde se sent à l'aise, celui à qui on va parler quand ça va mal.

Quand vint l'âge de s'intéresser aux filles, c'est tout naturellement qu'il perfectionna son rôle. Malgré un visage de plus en plus raviné, séquelle d'une propension grandissante aux heurts et accidents de toutes sortes, il était leur confident attitré. Avec lui, elles avaient l'impression de pouvoir tout dire. De ne jamais avoir à craindre l'incompréhension.

Évidemment, aucune ne l'aimait. Ce qui ne l'étonnait pas beaucoup, compte tenu de son apparence. Aussi, lorsqu'il tomba amoureux, il demanda à ses parents de lui payer une chirurgie plastique. Avec un visage normal, il n'aurait aucune difficulté à se faire aimer.

Quand on lui enleva les bandages, il fut étonné du résultat. Sa figure était parfaitement lisse. Du beau travail ! Il avait peine à se reconnaître.

Dès qu'il jugea son visage suffisamment désenflé, il alla trouver celle dont il était amoureux. Tout d'abord, elle ne le reconnut pas. Puis, lorsqu'il lui déclara son amour, elle lui expliqua, le plus gentiment qu'elle put, qu'elle le considérait comme un ami. Un bon ami. Elle l'appréciait beaucoup. Elle avait même de l'affection pour lui. Mais de là à envisager une relation amoureuse !… Il était pour elle une sorte de nounours grandeur nature, ajouta-t-elle. Avec un clin d'œil complice, qui disait son espoir que rien ne change entre eux.

Hugo sentit un creux se former au niveau de son diaphragme. Sa respiration se raccourcit. Une pression continue s'exerçait sur son estomac. Il manquait d'air.

Bien sûr, il ne laissa rien paraître et l'assura qu'ils demeureraient bons amis. Mais la pression demeura. Et, par la suite, il se mit à ressentir à cet endroit le choc des événements qui le heurtaient. Sa respiration se fit de plus en plus courte. De plus en plus difficile.

En même temps, les résultats de son opération commencèrent à se résorber, comme si son visage n'arrivait pas à se réinstaller de façon durable dans les creux que la chirurgie avait comblés. Sa peau épaississait. Dans les creux, il se formait une sorte de corne qui envahissait progressivement le reste de son épiderme.

Il n'eut pas le choix de chercher de l'aide.

Lors de sa première séance de thérapie, le psychologue lui donna une craie et lui demanda de dessiner un cercle sur le sol. Un cercle représentant la frontière de son espace personnel.

Avec réticence, Hugo finit par s'exécuter. Il traça un cercle accidenté, entrecoupé par de multiples brèches. Le cercle était serré autour de lui et les ouvertures avaient la forme d'entonnoirs orientés vers l'intérieur.

« Comment vous sentez-vous ? Est-ce que vous avez assez d'espace ?

— Ça peut aller.

— Est-ce que ça pourrait être mieux ?

— Peut-être. Mais ça va.

— De quelle manière est-ce que ça pourrait être mieux ?

— Je ne sais pas… »

Le psychologue lui proposa alors de faire une expérience : retracer la frontière, mais en faisant un cercle parfait. Sans aucune brèche.

Hugo obtempéra sans enthousiasme.

Aux questions du psychologue, il finit ensuite par répondre qu'il le trouvait plus beau, mais qu'il se sentait mal à l'aise. Il étouffait un peu.

« Est-ce que vous manquez d'espace ? Vous pouvez l'agrandir, si vous voulez… »

Hugo en traça un plus large. Son angoisse augmenta. La pression, au creux de son diaphragme, devint intolérable.

« Trop loin », expliqua-t-il. Il ne pouvait pas les rejoindre en allongeant les bras.

Il redessina le cercle en plus petit et il se sentit mieux. Puis il ajouta quelques brèches. Pour l'air. Pour ne pas étouffer.

Le psychologue lui fit prendre plusieurs respirations profondes. Jusqu'à ce qu'une sorte de picotement se fasse sentir partout à la surface de son corps.

« Le cercle définit votre territoire », dit-il. « C'est l'espace dont vous avez besoin pour respirer. Vous l'entretenez avec votre respiration… Imaginez que votre souffle sort de votre bouche et qu'il vous enveloppe. Il forme une bulle autour de vous… Il faut que vous appreniez à créer votre espace. À l'occuper… À force de vous replier à l'intérieur, votre corps devient rigide, se transforme en carapace… »

Après plusieurs mois à faire des exercices assidus de respiration, les creux qui parsemaient son corps commencèrent à se combler. Son corps reprenait sa forme. Occupait tout son espace. En même temps, sa peau s'assouplissait, la corne perdait du terrain.

Cet espace qu'il réoccupait avec son corps, il le réinvestissait aussi dans ses relations avec les gens. Ses goûts, ses opinions s'affirmaient de façon plus nette. Plus tranchée. La tortue ressortait la tête.

Bien sûr, tout n'allait pas sans difficultés. Certains jours, quand il avait dû affronter la mesquinerie ou la bêtise des gens, des creux réapparaissaient. Comme si sa peau conservait la mémoire de ses anciennes blessures, comme s'il avait une vulnérabilité particulière à s'effondrer corporellement aux endroits qu'il avait déjà désertés.

Dans ces moments-là, il recourait de façon intensive aux techniques de respiration. Littéralement, il se regonflait.

Avec le temps, il apprit à s'affirmer de façon sereine. Sans se crisper lorsque les autres se muraient. Il apprit à devenir fluide. À laisser passer les événements désagréables sans offrir de résistance. Sans être atteint. Il trouvait seulement triste que la communication soit si souvent conflictuelle, distordue ou carrément impossible : ils y perdaient de part et d'autre. Mais ce n'était pas inquiétant. Seulement dommage. Son espace corporel n'était plus menacé.

Réconcilié avec les heurts inévitables de l'existence, il espérait que cette paisible sérénité lui assurerait la longue vie des tortues.

La Double Peau d'Octave

Octave vint au monde franchement obèse. Enrobé d'une épaisse couche adipeuse.

Les médecins ne comprenaient pas. Au cours de sa grossesse, sa mère avait pourtant cessé de fumer, fait régulièrement ses exercices, soigné son alimentation... Elle qui n'était même pas sûre de vouloir un enfant, elle avait appliqué avec une minutie de comptable toutes les règles qu'elle avait pu glaner dans les manuels de grossesse efficace.

Bien sûr, il y avait eu quelques petites perturbations : elle avait déboulé un escalier, embouti une autre voiture avec la sienne... mais enfin, ce n'était pas ces quelques chocs qui avaient pu amener le bébé à se coussiner de la sorte !

Inquiète pour la santé future d'Octave, la mère commença à le rationner dès le biberon. La couche de gras qui l'enrobait continua cependant de croître. Lentement, il est vrai, mais régulièrement. Au grand désespoir des parents. Eux qui rêvaient d'un fils athlétique, promis à tous les succès, ils se retrouvaient avec une espèce de bouddha boudiné dont le regard avait peine à filtrer à travers ses paupières alourdies.

Les régimes continuèrent de ponctuer son enfance. Toujours aussi frustrants. Toujours aussi inefficaces. Octave semblait engraisser indépendamment de ce qu'il mangeait.

Heureusement, sa graisse n'offrait pas que des désavantages : quand il se frappait, il se faisait moins mal ; son enveloppe adipeuse amortissait les coups.

Quand il tombait, par contre, c'était plus douloureux. À cause de son poids. Ce qui l'amena à bouger de moins en moins. À préférer demeurer assis. D'autant plus qu'il se fatiguait plus rapidement que les autres lorsqu'il se déplaçait.

En même temps que sa graisse prenait de l'expansion, Octave vit sa sensibilité se modifier. Son enrobage adipeux s'interposait entre lui et les autres, filtrait les contacts. Ce que les gens pensaient et disaient l'atteignait à peine. Tout lui parvenait comme amorti, étouffé par les multiples couches de son enveloppe. Il pouvait ainsi assumer sans souffrir le rôle du bon gros. Celui dont on aime se moquer parce qu'on peut le faire sans mauvaise conscience, tellement il a l'air d'aimer ça.

Lorsqu'il fut assez vieux pour se libérer des régimes que lui imposaient ses parents, son appétit donna sa pleine mesure. Derrière son dos, on se mit à l'appeler l'aspirateur. Il en fut attristé, mais décida de faire comme si de rien n'était. Au moins, on s'occupait de lui. Et puis, c'était dit sans méchanceté. Avec une sorte d'affection, même.

En général, il vivait donc sans trop s'apercevoir de ce qui le touchait, comme si les sensations n'arrivaient pas à le rejoindre, à traverser son enveloppe protectrice.

Pour entrer en contact avec l'extérieur, son moyen privilégié était la bouche. Elle constituait sa principale source de stimulation. Quand il ne mangeait pas, il suçait un bonbon, mâchait de la gomme... ou parlait.

Il racontait des histoires. Il en avait une réserve inépuisable. Il devint le spécialiste des histoires de gros, ce qui lui assura une popularité durable. Ses amis ne se lassaient pas de l'entendre. Les gros, c'est drôle avant même qu'on commence à en parler.

Et quand il se sentait trop seul, quand les gens l'avaient ignoré de façon trop cruelle ou qu'ils s'étaient moqués de lui de façon particulièrement dure, il mangeait. Il s'enfermait dans la cuisine pour faire des pâtisseries, qu'il moulait dans des formes humaines. Il les recouvrait ensuite de glaçage et leur donnait l'apparence des gens qui l'avaient blessé. Puis il les dévorait.

Cela n'éliminait pas toute la souffrance, mais elle refluait à la surface, dans les couches adipeuses de son épiderme : le choc s'estompait. Il allait mieux. En apparence, du moins. Car il sentait confusément la tristesse s'accumuler en lui.

Faute de mieux, il mangeait sa vie. Il aurait bien aimé avoir quelqu'un avec qui partager ce qu'il ressentait. Vivre avec une femme. Mais sa graisse lui semblait une frontière infranchissable. Même si, autour de lui, il voyait des gros former des couples, et pas toujours avec des grosses. Il n'arrivait pas à imaginer que ce soit possible pour lui.

Un jour, il commença à se sentir à l'étroit dans sa peau. Comme s'il manquait d'espace. Pourtant, de l'espace, il n'en avait jamais autant occupé : à mesure qu'augmentait son tour de taille, les chaises se faisaient trop petites, les cabines téléphoniques devenaient inconfortables… En blague, il prétendait que son but était de devenir assez gros pour ne pas craindre d'être écrasé.

Pendant quelques semaines, il supporta ce malaise sans trop s'en faire. Puis le malaise se transforma en un véritable sentiment d'étouffement. Une pression continue semblait s'exercer sur l'intérieur son corps. Il consulta un médecin.

Après des examens approfondis, on découvrit qu'il continuait d'engraisser, mais par en dedans. La graisse prenait de l'expansion vers l'intérieur, comprimant les organes, menaçant d'étouffer leur fonctionnement.

Les médecins ne voyaient qu'une solution: l'opérer pour le soulager de sa graisse. Il refusa. Il avait une peur panique de l'opération. Et, plus profondément, il n'imaginait pas de quelle manière il pourrait survivre, sans cette enveloppe protectrice dans laquelle il était enrobé depuis son enfance. Littéralement, elle lui tenait lieu de peau. C'était son véritable épiderme.

Comme la pression devenait de plus en plus forte et sa respiration de plus en plus difficile, il se résolut à une mesure extrême: il cessa de manger. Presque totalement.

Sa première surprise fut de ne pas ressentir la faim. De se rendre compte qu'il mangeait davantage par habitude que par appétit. Comme si c'était pour sa graisse qu'il se gavait, et non pour lui. Qu'il vivait à son service.

Peu après le début de son jeûne, il abandonna le rôle du bon gros. Il se mit à parler moins. À rester chez lui. Quand il sortait, au lieu de neutraliser les autres au premier contact, avec une histoire, il prenait le temps de les regarder.

Au début, il ne remarqua aucun soulagement. Mais il persévéra.

Après une semaine, il crut noter un certain relâchement dans la pression. Il parlait de moins en moins. Lorsque les gens se moquaient de lui, il souriait à peine, ce qui les laissait curieusement mal à l'aise. On ne le reconnaissait plus.

Pourtant, il n'avait pas maigri. Il avait toujours la même corpulence. Le seul changement notable, c'était le relâchement de la pression intérieure. Ça et les sensations qu'il éprouvait dans son corps. Il en percevait de plus en plus. Ni agréables ni désagréables. Simplement des sensations. Variées. Comme s'il se réveillait d'une anesthésie.

Autre phénomène nouveau, il se mit à se souvenir de ses rêves. Il se retrouvait souvent au centre d'une sorte d'igloo en terre sèche, en plein milieu du désert. Et il s'affairait à remplacer les briques de terre qui s'écroulaient continuellement sur lui, poussées par la force du vent. Sans répit.

Après quelques mois, il recommença à manger. Mais de façon modérée. Avec une certaine appréhension. Il avait peur que la pression interne ne réapparaisse.

Ses craintes s'avérèrent sans objet. Le sentiment d'aise qu'il sentait monter en lui continua de se développer. Plus vite, même. Comme si la nourriture profitait dorénavant à son corps plutôt qu'à sa graisse.

Une chose le préoccupait, cependant. Sa peau ballottait sur lui comme un vêtement trop grand.

Le bien-être intérieur qu'il ressentait était atténué par le sentiment d'être enfermé dans une peau trop grande pour lui. Et dont il avait de plus en plus clairement honte.

Il renonça presque complètement à sortir. Tous les jours, dans le miroir, il observait les plis de son enveloppe adipeuse s'accentuer. Et la colère montait en lui. Une colère contre ce faux épiderme dans lequel on l'avait enfermé avant même sa naissance. Ce faux épiderme qui n'était pas lui. Qui le cachait.

Un matin, dans un geste impulsif, il saisit un pli sur son ventre et tira dessus, comme pour l'arracher. À sa stupéfaction, il resta avec un morceau de peau flasque dans les mains. Pris de panique, il se dépêcha de regarder la blessure. Et c'est là qu'il eut la véritable surprise : il n'y avait pas de blessure. Il y avait bien une déchirure sanguinolente sur le pourtour de la peau arrachée mais, en dessous, il y avait une autre peau. Toute rosée. Une peau de bébé.

Cette journée-là, il arracha plusieurs autres lambeaux. Lorsqu'il sentait une résistance trop forte, un début de douleur, il s'arrêtait.

Pendant la semaine qui suivit, il acheva de se mettre à nu. À chaque morceau qu'il arrachait, il avait l'impression de se libérer d'une partie de sa tristesse et de ses souffrances accumulées. Comme si elles avaient sédimenté dans son enveloppe de graisse… Il se sentait de plus en plus léger.

Parallèlement, ses visions d'igloos secs disparurent pour être remplacées par des rêves d'océan qui le laissaient détendu et curieusement euphorique.

Sa mue achevée, il fut surpris par l'apparence de son corps. Rajeuni, ferme, musclé… Il sourit en pensant à ses parents, maintenant décédés. S'ils avaient pu le voir, eux qui avaient tellement rêvé d'un fils sportif…

Lorsqu'il refit son entrée dans le monde, peu de gens le reconnurent. Non seulement était-il physiquement méconnaissable – même ses cheveux avaient foncé – mais son attitude n'était plus la même. Son assurance réservée, presque continuellement teintée d'humour, laissait ses amis pantois : ils ne savaient plus comment l'aborder. Visiblement, les anciennes farces n'avaient plus aucun sens. Et il y avait cette ironie, pas vraiment méchante, qui flottait en permanence dans son regard, qui décontenançait.

Sa nouvelle peau, d'abord sensible, se stabilisa rapidement. Lui qui avait toujours porté des vêtements qui le dissimulaient le plus possible, il se mit à porter des T-shirts, à aller à la piscine… C'est d'ailleurs là qu'il rencontra la femme avec qui il devait par la suite vivre pendant de nombreuses années.

La première fois qu'ils firent l'amour, elle lui demanda comment il faisait pour avoir une peau aussi douce.

— On dirait de la peau de bébé !

Un instant, Octave songea à lui expliquer ce qui lui était arrivé. Puis il y renonça. Qu'est-ce qu'une histoire aurait bien pu apporter de plus ?

Le Réparateur d'histoires

Mathieu eut une enfance de rêve. Il la passa à vivre dans celui que ses parents tissaient autour de lui.

Dès le jour de sa naissance, ils avaient entrepris de lui raconter l'histoire familiale : de quelle manière ils avaient vécu avant son arrivée, tous les efforts qu'ils avaient faits, les privations qu'ils s'étaient infligées pour avoir finalement les moyens de le laisser venir. Cela avait exigé des années de planification. Jamais un enfant n'avait été aussi désiré.

Ils lui racontaient aussi sa vie future : ses études, sa carrière... Un jour, probablement qu'il se marierait. Mais ce n'était pas indispensable. Il ferait comme bon lui semblerait. Et, marié ou non, ils habiteraient tous ensemble. Comme une grande famille. Rien ne pourrait les séparer.

Ils lui parlaient également de leur propre enfance, de toutes les épreuves qu'ils avaient subies, de la pauvreté de leurs parents à eux, qui avaient eu une vie plus difficile encore. Ils lui disaient les rêves qu'ils avaient dû abandonner, les rêves que lui, plus tard, aurait l'occasion de réaliser.

Parfois, Mathieu posait une question sur un détail déjà mentionné. On lui fournissait alors l'explication, sans impatience, mais en faisant en sorte qu'il s'aperçoive qu'il aurait dû s'en souvenir... Très rapidement, il développa une mémoire sans faille.

Mathieu ne pouvait jamais penser à son enfance sans la comparer à celle de ses parents, sans se trouver choyé. Qu'avait-il bien pu faire pour mériter une telle chance ?

Chaque jour, il passait de longues heures à se répéter leur histoire. Il était le dépositaire de leur mémoire. À mesure qu'il grandissait, leur enfance vivait à travers la sienne.

En vieillissant, il crut surprendre des incohérences, des contradictions entre les récits. Au début, il les relevait. On prenait alors le temps de lui expliquer qu'il se trompait. Doucement. Il avait dû mal entendre...

Il apprit à s'ajuster automatiquement. À intégrer les corrections à mesure qu'il les détectait. Mieux, il modifiait de lui-même des détails pour que l'histoire sonne plus juste, qu'elle soit plus conforme à l'atmosphère familiale.

À l'âge de sept ans, il racontait l'histoire de ses parents mieux qu'ils auraient pu le faire eux-mêmes. Ils étaient très fiers de leur fils. Son talent les récompensait de tous les efforts qu'ils avaient investis en lui.

Quand il lui arrivait de s'ennuyer, Mathieu se racontait aussi des histoires. D'un autre genre. Il imaginait des enfants tristes, abandonnés, à qui personne ne voulait parler. Ses personnages traversaient toutes sortes d'épreuves, jusqu'au jour où ils rencontraient une fée ou un bon génie qui leur procurait une famille. Une vraie famille.

Un soir, il lut une de ses histoires personnelles à sa mère. Elle ne put s'empêcher de l'interrompre avant la fin, lui demandant où il avait pris de telles idées : avec tout ce qu'ils faisaient pour le rendre heureux, il aurait dû inventer quelque chose de beau ! Y avait-il des choses qu'ils ne faisaient pas correctement ? des choses qu'il n'osait pas leur dire ? Il ne devait rien leur cacher s'il voulait qu'ils prennent soin de lui correctement...

À partir de ce jour, Mathieu garda ses histoires pour lui, se sentant un peu honteux de les relire, mais incapable de ne pas le faire. Sa préférence allait aux longues descriptions de l'abandon des enfants, de leurs terreurs, des épreuves qu'ils traversaient. Cela l'aidait à se sentir moins seul.

Le soir, quand ses parents venaient le border, il en inventait d'autres. Joyeuses, celles-là. Comme il le fallait. Car ses parents tenaient à connaître ce qu'il inventait... Leurs histoires préférées étaient celles où il reconstruisait leur enfance à eux.

Sa mère lui redemandait souvent celle où, descendante d'une famille noble dépossédée de sa fortune, elle réussissait, au terme d'une série d'événements merveilleux, à rétablir la richesse et le rang de sa famille. Pour son père, il imaginait des héros qui s'affranchissaient de leur père tyrannique pour parcourir le monde, en quête d'aventures et de femmes qui les aimaient vraiment.

À l'école, Mathieu n'avait pas de véritables amis. Les autres enfants le trouvaient un peu étrange, toujours perdu dans ses rêves. Mais ils allaient tous lui demander, chacun leur tour, de leur raconter quelque chose. Par curiosité.

La première fois où l'institutrice donna comme devoir aux élèves de faire une composition, il écrivit une histoire sur elle. Le lendemain, elle le faisait venir à son bureau.

Sur un ton qui n'admettait aucune réplique, elle l'avisa qu'elle ne tolérerait pas qu'il se moque d'elle une autre fois. Puis elle lui demanda qui lui avait donné ces informations. Comment il avait osé mettre ça dans son devoir.

« Mais... l'histoire finit bien ! protesta l'enfant.

— Je me fous de savoir comment elle finit ! Je ne laisserai pas un élève étaler ma vie privée dans ses devoirs ! »

Mathieu ne comprenait pas. Surtout que l'institutrice insistait pour savoir où il avait été chercher les commérages qu'il avait écrits.

Il eut beau jurer qu'il avait tout imaginé, elle ne le crut pas. Elle téléphona à ses parents. Leur parla de leur fils qui l'avait probablement espionnée – c'était la seule possibilité – et qui avait ensuite eu l'impudence d'étaler les secrets qu'il avait surpris dans ses devoirs. En les déformant, en plus.

Consciencieux, ses parents expliquèrent longuement à Mathieu qu'il ne fallait pas espionner les gens. Que c'était mal. Ils l'avaient pourtant prévenu : c'était là le genre de choses qui arrivait quand on se laissait aller à inventer de mauvaises histoires.

Lorsque l'enfant leur demanda comment faire pour distinguer les mauvaises histoires des bonnes, sa mère lui répondit qu'il le savait très bien. De ne pas faire l'innocent. Pour les deux semaines à venir, il serait privé de jouer à l'extérieur. Il faudrait qu'il s'exerce à imaginer des histoires convenables. Au moins deux par jour.

Mathieu conserva de l'événement une impression étrange. D'un côté, il voyait bien le danger qu'il y avait à construire des histoires qui ne plaisaient pas aux gens. Surtout sans leur en demander la permission. Mais ce fut aussi la première fois qu'il se rendit compte qu'il pouvait imaginer juste. Il lui suffisait de regarder les gens, de se laisser imprégner par eux et de se mettre à imaginer pour découvrir qui ils étaient.

Il en tira profit dans les courts récits qu'il inventait pour ses camarades, ce qui augmenta son prestige, mais aussi sa solitude. Les autres enfants aimaient beaucoup les histoires sur mesure qu'il inventait pour eux : elles étaient si personnelles... et elles finissaient toujours de façon encourageante. Mais ils se sentaient mal à l'aise de le savoir capable de découvrir des choses qui les touchaient autant.

Plus Mathieu se sentait seul, plus il imaginait d'histoires. Pour ses parents, ses amis, pour lui-même... Et plus il était seul.

Les filles entrèrent dans sa vie à un âge tardif, car il les intimidait autant qu'il était intimidé. Elles avaient une certaine appréhension face aux idées étranges qui devaient sûrement se promener dans sa tête. Pourtant, il les fascinait. À cause de sa capacité de les saisir à partir d'un détail. De presque rien.

Avec les premières filles qu'il aima, il appliqua tout naturellement le comportement qu'il avait développé avec ses parents et ses amis. À peine les premiers contacts établis, il mettait au jour l'histoire particulière de leur enfance. Il en faisait ressortir les douleurs les plus secrètes. Puis il les réparait. Mal à l'aise d'être simplement là, il s'acharnait à comprendre. À raconter. De cette manière, il avait l'impression de leur donner quelque chose pour les remercier de leur présence.

Chaque fois, le résultat était le même. Il étonnait. Il éblouissait. Mais qui veut passer sa vie sous un projecteur ?... Une fois l'histoire de sa nouvelle amie guérie, ils se séparaient, n'ayant plus de base suffisante pour demeurer ensemble.

Il recommençait alors avec une autre. Puis une autre encore. Toujours avec l'espoir que, cette fois, ça durerait. Faisant davantage d'efforts pour mieux comprendre. Mieux guérir l'histoire d'enfance de celle qu'il aimait.

En marge de sa carrière de réparateur, qui continuait de se dérouler en dents de scie, il devint écrivain. C'était la seule chose qu'il savait faire, raconter. Mais il devint un écrivain d'un genre particulier. C'était lui qu'on appelait à la rescousse lorsqu'un script d'émission avait des problèmes, lorsqu'il fallait revoir d'urgence le scénario d'une télésérie ou quand un téléroman battait de l'aile. Il était devenu un réparateur d'histoires professionnel.

Sauf qu'il n'était toujours pas heureux. Il avait beau être capable d'inventer tout ce que les gens voulaient, il se sentait toujours aussi seul. Plus, même. Et il se sentait vide. Il avait de plus en plus de mal à dormir. Des cauchemars incessants interrompaient son sommeil.

En désespoir de cause, il mit ses cauchemars en histoires. Au début, il était question de personnes minées par des forces mystérieuses et sournoises qui finissaient par avoir raison d'elles. Il avait l'impression d'y retrouver le véritable scénario de son enfance : toute l'utilisation dont il avait fait l'objet, toute la négligence attentionnée, l'indifférence gentille à laquelle il avait été soumis.

Puis il mit en scène des gens qui survivaient à leurs blessures et trouvaient le moyen d'accéder à un autre univers.

À mesure qu'il écrivait, il rajeunissait. Son regard s'éclaircissait. Comme si le fait de pouvoir reprendre contact avec sa véritable histoire le libérait d'un poids immense.

Il appliqua alors ses efforts à guérir sa propre enfance. Il imagina des gens qui allaient jusqu'au bout de leurs peurs, qui affrontaient leurs blessures intérieures, leurs infirmités, pour les transformer en force de vie.

Le ton du dernier texte était à la limite de la poésie, mais sans pourtant cesser de raconter une histoire. Par sa forme, il exprimait toute l'ambiguïté de sa position : nulle part à sa place, écartelé entre la réalité et le rêve, entre son enfance et le présent, entre lui-même et l'image de lui qu'on lui avait imposée.

Il y racontait l'impossible roman d'amour qu'il avait poursuivi d'une femme à l'autre. Obstinément.

Allant chaque fois un peu plus loin. Jusqu'à ce qu'il la rencontre. Elle.

Sa simple présence l'avait ramené à lui-même. À l'exigence brute d'exister qui avait toujours couru, obstinément mais de façon maladroite, à travers toutes ses tentatives avortées pour rejoindre les autres.

C'était un récit à deux voix qui construisait leurs guérisons respectives. Une histoire de solitudes qui se heurtent, s'évitent, se méfient confusément l'une de l'autre, se croient devenues étrangères, mais finissent inexplicablement par retrouver leurs tendresses les plus profondes, pour qu'elles puissent enfin être dites.

Ébauches à voix H/F
alternées puis fondues

(lui)

même soudés
à des envies de voyages mal assouvies
mes doigts sauront dissoudre
les étangs quotidiens

j'étalerai des soleils
par toutes les rives trop sages
de ton épaule

sur nos visages
neigeront des feuilles mortes

... ce sera presque la vie

mais déjà se gonflent de froids nuages
voici que viennent
des gens de tous les jours
leur vie sera triste
leur mort, une habitude

et le soir envahissant de leurs mains tendues
peuplera nos rêves
de goélands assassinés

leur cohorte tranquille
te boira…
le vent de leurs jeux
cèlera
tes lèvres
dans des draps de polythène

sans hâte
vous irez…

la lumière assoupie d'un pâle souvenir
éveillera peut-être
un jour
ces vestiges de visage
qui habiteront ma mémoire

aussitôt
du sable jaillira
et avec lui tout un désert
pour tuer dans l'instant
la moindre souvenance…

un reste de solitude
inscrira
sur mes os
la griffe du silence

alors
je mourrai enfin
affadi

en moi
il fera encore très jeune
mais je mourrai

je mourrai
de n'avoir su être mort
à tous les spasmes
qui m'advenaient.

(elle)

tu sais de moi
l'attention que j'ai
à chacun de nos instants
mais tu sais
aussi
mes morceaux
éparpillés au gré de mes peurs
mes gestes de panique
mes oublis

tu sais mes absences brutales
lorsque j'essaie
quand même
du bout des doigts
de parvenir jusqu'à ton visage

tu sais mes yeux qui se détournent
après un regard
mes lèvres qui se pincent

tu sais
ce silence que je te jette
parfois
chargé de doute et de froideur discrète
impitoyablement
quand je me noie dans de vieilles images
pour ne pas souffrir
pour échapper au mal qui gruge ma tendresse
et m'étouffe
dans un univers de gestes empêchés,
de visages à demi-mot

aussi
tu m'aimes
mais sans trop d'espoir
comme un fou
avec la tristesse terrible de ceux
qui, blessés
ou déçus
n'aiment plus que les absents, les paysages
et le calme raffiné

car moi,
j'aime le vide
ou presque
les espaces dégarnis

> *la musique*
> *la photo*
> *la peinture*

ces territoires sans espaces
où ma vie s'est retirée
pour vivre sans vivre
de peur de mourir

(lui)

Une main surgit

et doucement s'insinue
jusqu'aux fissures de ma peur

à l'ombre des mots tamisés
deux corps
revendiquent déjà
une extase à éteindre

entre les doigts et les visages
se joue
le jeu cruel de la présence

les yeux
se guettent des yeux
les bras
se nouent sur des soleils mollissants
et
dans l'ivresse qui naît
se dessine une agonie de printemps...

jadis
au temps de mes attentes
une main venait
égratigner ma solitude

(elle)

mes spasmes se crispent
sur le seul plaisir…
enterrée
la chaude et terrifiante
tension de vivre

au moment de l'amour
tu glisses en moi
comme dans la facilité
tu joues
la gentillesse de l'enfant
tu joues
son rire

mais l'autre est toujours là
obsédant
inaccessible à jamais
emmuré dans ses mots lapidaires
ses gestes rentrés
ses yeux qui se détournent

je suis poursuivie
hantée
par la déchirure de son visage occulté

je me sais sans accès
et j'ai peur…
peur de la brèche
que j'ouvrirai sur ta tristesse
car ce sera
aussi
la voie de mon départ
tremblante de la peur d'être touchée…

chaque mot
chaque geste entre tes bras
y creuse un peu plus
l'absence que j'y installe

ton corps
lieu de ma vengeance contre la douleur
ton corps
brisé de désirs et de gestes heureux
sera l'instrument
de ma plus subtile cruauté…

en le refusant
c'est moi que j'enterrerai
moi que je clouerai
pour toujours
à une absence tyrannique, exigeante

je ne veux pas partir
je ne veux pas que tu partes
mais il ne faut pas que je te blesse
pas davantage

en moi
il y a des monstres que je dois affronter seule

la monstrueuse voracité
d'une tendresse rachitique
méfiante
affamée dès l'origine…

(lui)

… tes yeux qui fuyaient
et mon doigt
sur ta joue
lentement
a dessiné
la nostalgie sans espoir
d'un monde habité par tes gestes

(elle)

avec toi
ce sera comme un jour de pluie
quand il a cessé de pleuvoir
et que le soleil
à l'horizon
s'effrite et s'effiloche
sur le contour disloqué des nuages

quelques reflets de soleil
survivront peut-être
l'espace d'un éblouissement
mais
très vite
il ne restera rien

ce sera comme un soir de printemps
ou peut-être un soir d'automne…
mais ce sera
comme un soir qui achève
un soir qui jette ses derniers lambeaux de couleur

et qui les jette n'importe où
sans regarder
même s'il sait que ça ne sert à rien
et que ça n'empêchera pas la nuit de venir

il y a des mots
qui sont des bombes à retardement
déjà
ils sont gravés dans ma tête...

tous ces mots empêchés que l'on a inscrits en moi
dès l'origine
minutieusement
à force de silences et de froideurs,
d'indifférence...
un jour
ils vont tuer ton visage

ces mots-là
ce ne sont pas seulement des mots
mais des gestes
des sourires...

tous ces sourires laminés
préconstruits
posés de façon désinvolte sur des visages qui se
referment...
tous ces gestes de pacotille
qui ont balisé d'éphémère
les détours de mon enfance

mais
bientôt
je n'aurai plus d'âge

et il n'y aura plus de mots
pour déchiqueter mes gestes
pour dissiper les moindres élans de ma passion...
ils auront tous explosé

de toi
il ne restera rien
en moi...
pas même ta manière de t'en aller

et je vais continuer
seule
sans rien
avec plus une seule image de toi
l'air tranquille
bien tranquille
comme s'il n'y avait jamais rien eu

avec toi
ce sera triste et beau
comme les fleurs
quand on les arrache parce qu'elles sont belles

(lui)

avec tes gestes touchants d'enfant boudeuse
tes yeux baissés
tes impatiences du bout des lèvres
quand tu fais la moue

avec tes mots de petite fille
attendrie
émerveillée

avec tes larmes, aussi
tes larmes
et ta tendresse toujours inquiète
qui tressaille au moindre silence

avec tes colères qui te font mal
et te jettent sur le lit
pour pleurer

avec tes yeux changeants
qui rient à travers la buée

avec ton regard oblique
parfois
et tes cheveux…

tes cheveux…

(elle)

mes baisers au compte-gouttes
et mes caresses au compte-doigts
ont émoussé les rasoirs
qui habitaient sous ta peau

je t'aime si raisonnablement
que tu finiras bien
un jour
par ne plus avoir besoin de moi

dès lors,
plus personne ne viendra
dissoudre le cycle de mes angoisses

désertée par tes espoirs,
par tes rêves
je ne vivrai désormais
que pour moi
pour ce qui me happe et m'envahit
…pour m'engloutir

et toi
tu t'en iras
sans bruit
ni tristesse
car tu seras parti depuis si longtemps
déjà
que tu seras à peine l'écho
de ton départ

(nous)

et pourtant…

pourtant,
peu à peu
nos méfiances s'apaiseront

malgré nos éloignements
nos peurs
malgré nos blessures inquiètes
et nos envies de fin du monde

malgré les mirages qui nous aspirent
et les promesses charmeuses des vendeurs d'eu-
phorie
nous reviendrons
l'un à l'autre

avec patience,
nous peindrons chacun de nos gestes
aux couleurs de la vie

enfin dégagés de leur gaine d'inquiétude
ils déferleront
pour oblitérer le visage des fonctionnaires de
l'ennui
tous ces gestionnaires tatillons
du vide
et de la parcimonie
qui sucent depuis l'origine
à chaque instant
nos moindres velléités de véhémence

s'atténueront alors
les orages qui hantent nos mémoires…
les rythmes renaîtront de la cendre des horaires

à même la trame de nos instants décousus
se tissera
l'image opiniâtre du bonheur possible

la douceur hésitante de nos regards
abolira
à gestes feutrés
les nœuds anonymes calcifiés dans nos gorges…

telle une présence muette et rassurante
elle inspirera
dans l'intimité de nos ventres
des explosions de ferveur qui feront rempart
contre les manigances
des apôtres de la vie préfabriquée

elle insufflera dans nos yeux
dans nos os
la persévérance tranquille
définitive
de révoquer tous ces captifs
des sentiments appris
ces prudents
de l'orgasme à heure fixe
qui vivotent
tapis dans l'attente
emmitouflés dans la rumination soucieuse
de leurs petites nostalgies
de leurs passions avortées

frileux,
les yeux agglutinés à des décors tristes
ils palpitent au ralenti
tels des cadavres en gestation qui usent leur exis-
tence
dans la quête paresseuse
soumise
et dérisoire
des extases en pilules
du standing par cartes de crédit
et du désir aseptique qui défile en images celluloïd

la danse de nos doigts aura tôt fait de disperser
la grisaille
de ces suicidés gentils
anodins
qui ont troqué leur feu intérieur
pour ceux de la rampe,
programmés par le texte vacant des manuels de
charme
des caresses en kit
et du Nautilus amoureux

toute cette grisaille accessoire et révolue
se résorbera
dissoute par le jeu complice
de nos connivences imagées

alors, seulement
fleurira
portée par la rumeur exigeante de nos douleurs
exhumées
la douce révolte
de nos tendresses enfin dites

Une voix et ses histoires

Alors que *L'Homme à qui il poussait des bouches* était un recueil de nouvelles déguisé en roman, on pourrait dire que *L'Assassiné de l'intérieur* est un roman déguisé en recueil de nouvelles.

Dans un premier temps, on retrouve une flopée de personnages tous plus étranges les uns que les autres : un chirurgien qui n'arrête plus de saigner, un enfant qui colle aux gens qu'il touche, un autre dont la peau se transforme en billets de banque, une gorge qui crie du papier, un corps blessé par l'impact des mots, un prisonnier du vide...

Personnages étranges, donc. Ou mieux : personnages aux prises avec l'irruption de l'étrange dans leur propre corps. Quelque chose les gruge, quelque chose les piège, quelque chose les assassine...

Mais ce livre est aussi l'histoire d'une voix, d'un narrateur qui aimerait simplement être là, parler en son propre nom, mais qui décroche sans cesse, qui s'échappe malgré lui dans l'imaginaire. Alors qu'il voudrait simplement parler, il ne réussit qu'à raconter.

Au début, les histoires sont simples. Elles se contentent de mettre en scène un malaise, d'imager brièvement une impossibilité de vivre. Puis elles se complexifient, prennent de la densité à mesure qu'elles s'approprient plus clairement le malaise du narrateur : son incapacité à simplement être là, son difficile rapport avec la parole.

La voix

Cette parole inaccessible constitue le fondement de la quête du narrateur ; ce dernier est la voix intercalaire qui ponctue les nouvelles regroupées par blocs de quatre. C'est à travers elle qu'il va passer progressivement d'une enfance impossible à une vie plus autonome, qu'il va conquérir un début d'identité.

Également construits sur le mode de la nouvelle, bien que dans un style très différent, volontiers plus lyrique, ces épisodes intercalaires illustrent l'aventure propre du narrateur qui doit conquérir sa voix. À travers la traversée des instances de parole que sont les pronoms, c'est l'histoire d'une prise de parole qui se joue.

Au départ occulté (tu), il est celui qui ne parle pas mais dont on parle et à qui on parle, celui qui n'existe comme sujet que posé par la parole de l'autre (il). À la merci de cette parole.

Passant ensuite par la reconnaissance de sa diversité intérieure, de son morcellement (le nous) et de la présence inaccessible de l'autre (vous), il peut poser cet autre comme absent (il), comme objet de désir avec qui il peut établir un dialogue (je-tu) pour ensuite parler avec lui d'une parole commune (nous).

Ses histoires

Parallèlement à cette évolution du narrateur, les personnages qu'il invente se modifient. Chaque bloc de quatre nouvelles marque une étape. Le mal qui les gruge s'y révèle progressivement, comme dans une sorte de parcours initiatique. Ils apparaissent comme les avatars successifs d'un même personnage, le narrateur.

D'abord simples victimes arbitraires et presque détachées de phénomènes inexplicables, les personnages sont pris dans un engrenage sans fin que même leur mort ne peut arrêter.

Puis ce processus inexorable prend la forme d'un mal inconnu qu'ils portent en eux et les gruge de l'intérieur, jusqu'à les tuer. Un mal qui a rapport au besoin de dire ce qui est tu. Des tentatives d'explications et de solutions sont esquissées, toutes vouées à l'échec.

Apparaît ensuite la douleur physique. Le mal s'incarne davantage. De nouvelles formes de solutions voient le jour, toutes axées sur l'évasion : fuite dans la nature, dans le monde de l'ombre, dans le rêve, dans des états de conscience altérée.

Avec l'apparition de la douleur psychologique, la cause se précise, toujours liée au rapport à l'autre, en particulier à la famille : l'exploitation, la contrainte à l'impuissance, l'enfermement, l'envahissement de sa vie intérieure. L'attitude du personnage se modifie : cessant de fuir, il s'efforce d'aller au bout de la situation... Il choisit de vivre, de tenir aussi longtemps qu'il pourra.

Surgissent ensuite une série de tentations : celle du tout ou rien, de l'intensité ou de la mort ; celle de la carapace ; puis celle du repli à l'intérieur de soi, de l'enfouissement dans l'organique ; et finalement, celle de l'absence à soi en se perdant dans le service aux autres. Devant ces tentations, les personnages renouvellent chacun à leur manière leur choix de vivre : en affrontant le monde extérieur pour l'exprimer par l'art ; en reprenant contact avec le souffle de la vie, en étant simplement là et, finalement, en se réparant par la parole.

Ruptures et tensions

Autant l'ensemble de ces nouvelles baigne dans une atmosphère de fantastique, autant le processus de leur surgissement est lui-même fantastique. Le fantastique se définit en effet par l'irruption de l'irrationnel, de l'inexplicable, dans un univers autrement normal. Le livre épouse cette structure d'irruption. La voix du narrateur, par ailleurs réaliste malgré un ton qui devient de plus en plus lyrique, est régulièrement interrompue par l'avènement d'épisodes narratifs à dimension fantastique.

Cette rupture se remarque aussi dans le ton des nouvelles. Le langage du narrateur, lorsqu'il raconte ce qui s'imagine en lui, est impersonnel, neutre, presque transparent. Ce n'est pas lui qui parle, c'est une histoire qui se raconte. Une histoire qui emprunte à l'occasion la voix du personnage qu'elle met en scène.

Par contre, dans les nouvelles intercalaires, lorsque le narrateur s'efforce de parler en son nom propre, on assiste à la transformation, pour ne pas dire à la naissance de sa voix: s'individualisant peu à peu, elle évolue à l'intérieur d'un espace ambigu compris entre l'écrit et l'oral, entre la narration et le cri.

C'est cette évolution parallèle, à la fois dans les épisodes autobiographiques du narrateur, dans le ton de sa voix et dans le contenu des univers imaginaires, qui donne à ce recueil l'unité d'un roman mosaïque. Le procédé ressemble à celui du montage vidéoclip, où les séquences montrant le chanteur alternent avec des épisodes narratifs imaginaires qui illustrent métaphoriquement le propos de la voix.

Recueil ambigu, aussi, dont la forme, à mi-chemin entre la nouvelle et le roman proprement dit, reprend la position ambiguë du narrateur, pris entre expression et narration, entre parole objective et lyrisme, entre réalité et imaginaire.

S'il fallait voir un thème directeur dans cette lente spirale où les thèmes secondaires et les structures se répondent comme des variations progressives qui approfondissent les mêmes obsessions, ce serait celui de la lutte contre le morcellement, de la construction de l'identité et de l'accès à l'expression par la mise en forme de l'imaginaire — tout ce travail qui tient lieu de biographie à ceux qui n'existent pas en leur nom propre, qui insistent à travers leur vie plutôt qu'exister, comme dans une symphonie, où le thème insiste à travers ses variations et n'acquiert son identité que par la synthèse fragile, toujours après coup, de ses manifestations.